束の間の相棒

Sachi Umino
海野幸

CHARADE BUNKO

Illustration

奈良千春

CONTENTS

原色のネオンもまばゆい東京の繁華街。華やかな笑い声と排気ガスに包まれたこの街も、大通りを外れて一本脇道に逸《そ》れるとガラリと表情を変える。

薄暗い路地、湿った側溝、酒の匂《にお》いとすえた臭《にお》い。外灯もまばらな道にはぽつりぽつりと人が立ち、裏道に迷い込んだ人間をうっそりと手招きする。

細身のジーンズに黒のジャンパーを羽織った和希《かずき》は、そんな客引きには目もくれず黙々と路地裏を歩く。電球の切れかかった看板が明滅して和希の顔が闇《やみ》の中に浮かび上がり、道の端でけだるく客を待つ人々の視線が自然とそちらへ流れた。後を追うように密《ひそ》やかな溜息《ためいき》が漏れ、また闇の中に溶けていく。

一瞬で闇に沈んでしまうにもかかわらず和希の姿がやたらと人目を引くのは、際立って整った顔立ちと、そこからにじみ出る色気のなせる業《わざ》だろう。

色気といっても和希に女性的な雰囲気があるわけではない。身長は百七十を優に超え、体型もむしろ筋肉質なくらいだ。年齢も二十九歳と、さほど若いわけでもない。

正統派な美男子というより、どこか崩れた色気が和希にはある。

大きな瞳《ひとみ》にばさりとかかる長い睫毛《まつげ》のせいか、それとも色味の濃い唇のせいか、はたまた日本人離れして高い鼻のせいなのか。どれが最たる要因かは知れないが、和希の顔立ちはとかく派手だ。その顔でゆっくりと瞬《まばた》きをすれば、それだけで大半の人間は目を奪われる。

当の本人は闇の向こうから流れてくる視線など気にも留《と》めず、ジャンパーのポケットに手を突っ込んで古い雑居ビルへと足を踏み入れた。

複数の飲食店や金融会社が混在するビルはろくに掃除がされていない。煙草《たばこ》の吸殻やビールの空き缶が端に寄せられた階段を上って、和希は『健康マッサージ』と看板を出した店の前で足を止めた。

ガラスの扉に黒いフィルムを貼《は》った店の戸を和希は迷わず押し開ける。薄暗い店内は入ってすぐがカウンターで、でっぷりと太った色の白い男が店番をしていた。

「空いてる？」

和希が声をかけると、男は和希の顔をまじまじと見た後、少し体を後ろに引いた。

「うちは指名とかできるような店じゃないっすよ」

「いいよ。六十分ね」

カウンターの上に紙幣を置いて和希はうっすらと唇に笑みを引く。

「サービス料は中で払えばいいんでしょ？」

訳知り顔の和希に店員は小さく肩を竦《すく》め、奥の待合室へと案内した。

革がすり切れたソファーがひとつ置いてあるだけの狭い待合室に先客の姿はなく、店員はろくな説明もなしに和希を残して部屋を出ていってしまう。

ひとりになると、和希は素早くジャンパーのポケットから携帯電話を取り出した。『受付終了』と短くメールを打って携帯をポケットに戻した和希は、ドカリとソファーに腰を下ろすと染みの浮かぶ壁に視線を漂わせた。

（どうせだったら仕事じゃなく来たかったなー）

思わず本音が漏れてしまい、和希は邪念を振り払うべく大きく首を振る。こんなラフな格好でいるとふとしたことで緊張の糸が緩んでしまっていけない。

やたらと派手な外見から、法外な料金をふんだくるホストや非合法な賭《か》けを仕切るギャンブラーと言われてもまるで違和感のない和希だが、その正体は正真正銘、警察官だ。今も決して夜の街に遊びに来ているわけではなく職務の真っ最中である。

この健康マッサージ店が裏では違法な風俗店を営んでいることは事前捜査ではっきりしている。さらに店を経営しているのが所轄内で勢力を振るう豊岡《とよおか》組であることも間違いない。

和希の所属している組織犯罪対策四課では暴力団絡みの犯罪を幅広く取り扱っている。以前からなんとか理由をつけて豊岡組にガサをかけようとジリジリしてきた四課だから、今日の検挙に特別力が入っているのは課に配属されたばかりの和希も肌で感じていた。外では同じ課の刑事たちが息を潜《ひそ》めて店になだれ込む合図を待っている。

この後個室に通され、接客が始まったら外へ突入の合図を送る段取りだ。非合法なサービスを行っている現場を押さえて検挙する。タイミングを間違えれば事前捜査に費やした数ヶ月が水の泡だ。そう思うと自然と和希の横顔に緊張が走る。

改めて気合を入れ直していると従業員が戻ってきた。部屋の準備ができたらしい。

男性従業員を先頭に、カラオケボックスのような小さな個室が並んだ狭い廊下を歩き、入口から一番遠い部屋に和希は通された。廊下はL字になっていて、部屋の向こうに左手に折れる通路がある。カーテンが引かれているため奥がどうなっているのか見えないが、スタッフルームにでもなっているのだろう。その先はどこかに続いているのだろうか。

すっかり奥の通路に気を取られていた和希は個室から伸びてきた手に気づかず、次の瞬間力一杯室内に引き倒された。

声を上げる間もなく床に倒れ込む。が、不思議と痛みはない。エアーマットの上に倒れたらしい。慌てて身を起こそうとしたら、今度は上から二人の女性がのしかかってきた。

「やぁだ、本当にいい男！」

「珍しいわねぇ、こんなお店にお兄さんみたいなお客さんが来るなんて」

ビキニ姿の女性二人に上から顔を覗《のぞ》き込まれ和希は目を白黒させる。体を起こそうとするが、ひとりが和希の膝《ひざ》の上に乗り、もうひとりが肩を押さえてくるせいで上手くいかない。

「お、俺は二人でなんて頼んだ覚えはないけど…っ…」

もしや刑事とばれたかと緊張に身を強張《こわば》らせた和希だが、女性二人は顔を見合わせて含み笑いを漏らした。

「そうなんだけど、今日はサービス」

「いや、でも……」

「お兄さん本当に肌すべすべねぇ」

「お兄さんみたいなお客さんだったら大歓迎よ」

はしゃいだ様子の女性二人に押さえつけられ、和希は目まぐるしく考える。これはこの店独特のぼったくりなのか、それともやはり自分の正体を勘づかれたか。

実際は鄙《ひな》には稀《まれ》な美形の来店に女性陣が色めき立って客の取り合いをした結果なのだが、そうとは知らず和希は焦って体勢を立て直そうとする。だが二対一ではさすがに分が悪く、和希が体を起こせぬうちに女性たちは手早く和希の服を脱がせ始めてしまった。

「ちょ、ちょっと、ちょっと待った！　俺は…っ…」

「いいじゃない、普段はこんなサービスないのよ?」

「そうよ、大人しくしなさいったら」

笑いながら一方の女性がジャンパーのファスナーを、もう一方の女性がジーンズのファスナーを下ろす。本来なら携帯電話が入っているジャンパーを死守するべきだったのだが、急所を剝《む》き出しにされる本能的恐怖が先立って、とっさにジーンズの前を押さえてしまった。その隙《すき》にジャンパーに手をかけた女性が和希の背中を押し、和希の体が半回転する。

エアーマットの上は不安定で、存外体を静止させておくのが難しい。気を抜くとマットから転げ落ちてしまいそうで慌てふためく和希とは対照的に、マットの特性を知り尽くしているのだろう女性たちはコロコロと笑いながら和希の体を好きに転がしてしまう。

下手に騒いで他の従業員たちが集まってきたら突入に支障をきたす。そう思うと手荒に彼女たちを突き飛ばすこともできず、まともな抵抗もできないまま和希はあっけなく全裸にされてしまう。慌てて前を隠せば、そんな和希を女性陣はキャッキャと笑い飛ばした。

素っ裸にされた和希はマットの上を転がって自分の服に必死で手を伸ばす。一刻も早く外へ連絡をとらなければとジャンパーの裾《すそ》を摑《つか》むも、背後から伸びてきた手がサッと洋服を取り上げてしまった。

「駄目よぉ、服なんかで隠そうとしたら」

「ち、違う、そうじゃなくて——……っ」

このままでは本当に女性たちのサービスを受けることになりかねない。焦りで背中に嫌な汗が浮かび始めたとき、店の入口が急に騒がしくなった。

遠くで響く荒々しい足音と低い怒声に気づいて女性たちも部屋の入口を振り返る。

どうやら自分の連絡を待たず外に控えていた仲間たちが突入してきたようだ。ホッと胸を撫《な》で下ろした和希だったが、すぐに違和感を覚えて眉《まゆ》を寄せた。

（……あれ、誰の声だ？）

従業員に動くなと怒鳴りつけている声に聞き覚えがないことに気づき、不安がる女性たちを残して和希は部屋の扉を薄く開く。長く伸びた廊下の向こうでたくさんの人が動き回る気配があるが、やはり何かおかしい。

しばらくして、和希は大きく目を見開いた。

「あいつら…っ…生活安全課の連中じゃねぇか！」

捜査員の中に見知った顔を見つけ和希は声を荒らげる。その言葉に反応して女性たちの肩がビクッと跳ねた。しまったと思ったときにはもう遅く、二人は顔を蒼白《そうはく》にして立ち上がると、和希を押しのけ部屋を出ていってしまう。

「あっ！　ちょ、ちょっと、俺の服！」

よほど動揺していたのか和希の服を取り上げた女性はそれを胸に強く抱きしめたままで、和希が呼び止めたところで立ち止まってくれるはずもない。

入口に向かって駆けていった女性たちはそのまま中央突破を試みたようだが、当然のごとく捜査員に阻まれ悲鳴を上げている。

和希は慌てて廊下に出していた顔を引っ込めると室内を見回した。残念ながら服の代わりになるものはなく、唯一部屋の隅に置かれていたバスタオルで下半身を隠すのが精一杯だ。

全裸で前だけ隠した和希は、廊下の向こうで繰り広げられる喧騒《けんそう》を尻目《しりめ》に呆然《ぼうぜん》と立ち竦《すく》む。

現状について考えられることはひとつ。和希の属する組対四課と生活安全課が揃《そろ》ってこの店に目をつけ、偶然にも検挙の日がかぶってしまったのだ。

保安係は主に風俗店などの取り締まりを行うため、暴力団の経営する風俗店に四課と生活安全課が同時に目をつけることも珍しくはない。だが、まさか検挙の日が重なってしまうとは。課が違うため互いの行動を把握しきれないとはいえ、とんでもない偶然だ。

(ど、どうする俺……ここで奴らに見つかったら、どうなる?)

同じ課の連中ならば笑って済ませてくれるかもしれないが、他の課となると話は別だ。最悪本物の客と間違えらえて連行される恐れもある。

(事情を話せばもしかしたら……いや、あんなに殺気立ってる奴らじゃ聞く耳も持ってくれないだろ。それ以前に刑事が素人《しろうと》に全裸にされてるって……署内の笑いものだぞ!)

タオルで前を押さえたまま和希は部屋の中をうろうろと歩き回る。喧騒はまだ店の入口辺りでとどまっているが、この部屋までやってくるのも時間の問題だ。

和希のいる部屋には窓ひとつない。店の入口はガッチリ警察に包囲されている。

(どうすんだよ、この状況!)

打つ手を失い、沈痛な面持ちで和希が部屋の隅にうずくまったときだった。

ピィッと短く鋭い笛の音が耳を掠《かす》め、和希はガバリと顔を上げた。

生活安全課の誰かが笛でも吹いたかと思ったが、交通課でもない限り笛を持ち歩くことなどまずない。しかも音の出所はこの部屋から近かったような気がする。

和希はそろそろと廊下に顔を出してみる。

店に入ろうとする警察を従業員が阻んでいるらしく、入口では相変わらず怒声が飛び交っている。奥まったこの場所に捜査員がやってくる気配はまだない。

息を詰めて周囲の様子を窺《うかが》っていると、再び笛の音がした。店の入口とは反対側、カーテンのかけられたスタッフルームと思《おぼ》しき場所からだ。

全裸のまま廊下に出るのはためらわれたが、ここにいても確実に生活安全課の捜査員に発見される。和希はタオルで前を隠し、思い切って廊下に出ると音のした方に駆けだした。

背後を振り返る余裕もなく、L字の廊下を曲がり天井から吊《つ》るされたカーテンを勢いよく横に薙《な》ぎ払って闇雲に奥へ突っ込んだ。同時に何か大きなものが顔を覆って視界を遮り、驚いて大声を上げようとしたらその向こうから低い男の声が響いてきた。

「無事にこの場から逃げたきゃ黙ってろ。ついでにそれも着ておけ」

顔を覆うものを取り払おうとした和希の手を何者かが摑む。がっしりとした大きな手の感触は男性のものだ。

相手が誰だかわからないうちに腕を引かれて走らされた。途中、空いている方の手で和希は顔を覆う布を押しのける。走りながら確認すると、どうやら黒のコートらしい。

和希の手を引いて走る男は黒のスーツを着ている。何者なのか見当をつける間もなく薄暗い廊下の突き当たりにやってきた。行き止まりかと思いきや、そこには壁と同色のスチール扉があり、立ち止まった男は和希の手を離してスーツのポケットから鍵を出す。

「この向こうは別の店だ。その格好だとまた通報されるぞ」

言われてようやく全裸にタオルだけ巻いた自分の姿を思い出し、和希は慌てて手にしていたコートを羽織る。途中ガチャンと鍵の回る音がして、再び男に手首を掴まれた。

スチールの扉の向こうは調理場だった。普段はあまり使われていない扉なのか、突然現れた和希たちにスタッフらしき男たちがギョッとした顔を向ける。だが前を行く男が軽く手を上げると、皆慌てた様子で頭を下げて元の作業に戻った。どうやら男は店の関係者らしい。

調理場の向こうは薄暗いバーのフロアだった。事前調査では健康マッサージ店との接点は認められず完璧《かんぺき》にノーマークだった店だが、まさか壁一枚隔てて繋《つな》がっていたとは。

（……でも、だったらどうしてさっきの女たちはこっちの店に逃げてこなかったんだ？）

男は鍵を使って扉を開けていたが、マッサージ店の従業員たちは鍵を持っていなかったのだろうか。

考え込んでいるうちに男は和希の手を引いて店を突っ切り、スタッフの更衣室らしき部屋に和希を引きずり込んだ。部屋に入ると、男は室内に並んだロッカーの上に置かれていた段ボールから、ワイシャツと黒のパンツを取り出して和希に放り投げた。

「この辺のものを着て、適当に時間を見計らったら外に出ろ」

スタッフの制服と思しき服をキャッチして、和希は初めて男の顔を真正面から見た。

室内にいるというのに、男は顔半分を隠すほど大きなサングラスをかけていた。

テレビでサングラスをかけた芸能人が空港を歩く姿など見るにつけ、つくづく日本人にサングラスは似合わないと思っていた和希だが、このときばかりはその考えを改めた。彫りの深い顔立ちのせいか、日本人にしては珍しくサングラスをかけた男の姿が様になっていたからだ。

物珍しく男の顔を見ていた和希は、ふと引っかかりを覚えて男に一歩近づいた。相手は随分と長身で、どうしても顎《あご》が上を向いてしまう。

男は和希の視線を避けるつもりか顔を背け、そのまま部屋を出ていってしまおうとする。引き止めようと、和希は慌てて男のスーツの袖口《そでぐち》を摑んだ。

「待った！　アンタどうして俺のこと助けた？　あっちの店の関係者か？」

質問には答えず、男は無言で和希の手を振り払う。邪険な仕草にムッとして、和希は男の前に回り込んだ。

「理由もなく助けてくれたわけじゃないだろ！　それともどこかで会ったことでも……」

そこまで言って、和希は唐突に言葉を切った。

もう一度、男の顔をよく見てみる。顔半分をサングラスで隠していてもなお、高い鼻や、薄い唇、美しい頬骨《ほおぼね》の形から、男が相当に整った顔立ちだというのはわかった。

唇を真一文字に結んでこちらを見下ろす男に表情はないが、ひんやりとした彫像じみたその顔は、やはりどうにも見覚えがある。

目元が見えないせいで決定打に欠ける中、必死で記憶を探り喉《のど》の奥で低く唸《うな》った和希は、弾《はじ》かれたように目を見開いた。

「モモ！　お前もしかして、もも――…っ…」

その名前を、和希は最後まで口にすることができなかった。それより先に男に胸倉を摑まれ、強引に引き寄せられたと思ったら、いきなり唇をふさがれたからだ。

とっさには何が起こったのかわからなかった。焦点が合わなくなるほど近くにサングラスをかけた男の顔があるのは理解できても、自分の口をふさいでいるものがなんなのかわからない。いや、正確にはしばらくわからないふりをした。

自分が男にキスをされているなんて、自覚したくもなかったからだ。

和希の胸倉を摑んで引き上げ、爪先立ちにさせた状態のまま男がゆっくりと唇を離す。呆然と目を見開く和希を見下ろし、男は微《かす》かに口の端を持ち上げた。

「なかなかの体をしていたから、助けた礼に一晩遊んでもらおうと思ったんだが」

もう一方の手で男がいきなり和希の尻を鷲摑《わしづか》みにしてきて、呆《ほう》けた顔で男を見上げていた和希の背筋にブワッと鳥肌が立った。一瞬で恐慌状態に陥って闇雲に腕を振り回すと、男の手は案外あっさりと外れ、勢い余って和希は後ろによろめいてしまう。

「残念ながら仕事が入った。遊んでいる暇もなさそうだ」

男は淡々とした口調で告げて自分の腕時計に目を落とすと、ロッカーに背中を押しつけ動けない和希の前を悠然と通り過ぎ部屋を出た。

靴音が遠ざかり、完全にその音が聞こえなくなると、和希はへなへなとその場に腰を下ろした。

（……今の、百瀬《ももせ》じゃなかったか？）

先程口にできなかった名前を胸の中で呟いてみる。高校を卒業して以来久々に声に出しかけた名は様々な記憶を伴って、懐かしく和希の胸を揺さぶった。

高校生にしては大人びて整った顔立ちと高い背、それでいて相手を威圧しない柔らかな物腰。学校の屋上に集まる鳩《はと》を眺めて口元に指を当てた横顔を思い出し、やっぱり百瀬だ、と確信を持って呟《つぶや》こうとした和希だが、直前で勢いよく自分の口元を手の甲で拭《ぬぐ》った。

（いや！　俺今あいつにキスされたぞ！　あいつ多分ホモだ！）

もしもあの男が同級生の百瀬だとしたら、百瀬はホモになっていたことになる。そんな馬鹿なと和希は首を左右に振った。

（百瀬に限ってまさか！　それにもし百瀬だったとしたら——……）

その瞬間だけ、自分がどんな状況におかれているのかも忘れて和希は俯く。

（俺のこと見て、気がつかないわけないよな……？）

そう思ってみるものの、実際のところはどうだろう。百瀬とは一度も同じクラスになったことがないし、高校を卒業してから連絡をとったこともない。案外あっさり忘れられているかもしれないと淋《さみ》しく考えかけ、ハッと和希は我に返った。

(だから、今のが百瀬のわけないって!)

強い口調で自分に言い聞かせ、和希は床に落ちたスタッフの制服を拾い集める。

先程の人物が何者かを詮索《せんさく》するより、今はこの場を無事に切り抜けることの方がよほど切実で緊急な問題だと気づいたからだ。


生活安全課に先を越され、健康マッサージ店の検挙が不発に終わった翌々日。三日に一度の非番を挟んで四課の部屋に入った和希に、自席から芝浦《しばうら》が新聞片手にのんびりと声をかけてきた。

「よう新人、一昨日《おととい》は初めての大仕事なのに残念な結果になっちまったな」

今年の春からようやく組織犯罪対策四課に配属されたばかりの和希を、芝浦はたびたび新人と呼ぶ。定年間近の老刑事である芝浦とは繁華街の見回りなどでコンビを組むことも多く、席も隣り合っているので何かと話をする機会は多い。

和希は机の上に鞄《かばん》を置くと、力なくキャスターつきの椅子《いす》に腰を下ろした。

「本当ですよ。せっかく豊岡組に乗り込むチャンスだったのに……。組対と生活安全課、どうして同じ組織なのに連携とれないんですかね?」

「仕方ねぇよ、こんだけ犯罪が絶えねぇんだ。逐一別の課と連絡なんかとってられるか」

芝浦は机の上で大きく新聞を開き、鼻の上にずり落ちた老眼鏡を押し上げる。

朝は早めに出勤して、隅から隅まで新聞を読むのが芝浦の日課だ。ときには面倒な書類作成を下っ端の和希に押しつけ、昼近くまで新聞を広げていることさえある。和希の目から見ても真面目《まじめ》に仕事をしているふうには見えない。

「そういやぁ、一昨日お前が言ってた店、調べがついたぞ」

今日はどんな仕事を押しつけられることかと溜息をつきかけた和希は、直前でそれを呑《の》み込んで勢いよく芝浦へと向き直った。

芝浦はこちらに一瞥《いちべつ》もくれず大儀そうに口を開いた。

「あのバーと豊岡組に直接の関係はない。マッサージ店の従業員も、バーに続く扉の鍵は誰も持ってなかった。バー側の人間もそうだ」

和希は視線を斜めに落とす。ならばどうして、あのサングラスの男は鍵を持っていたのだろう。考え込む和希を横目で見て、芝浦は再び新聞に視線を落とした。

「ただ、間接的な繋がりならあった。マッサージ店の隣のバーは、鬼頭《きとう》組が仕切ってる」

揺らめいていた和希の視線がぴたりと止まる。

鬼頭組は豊岡組傘下の暴力団だ。組織の規模はさほど大きくないが、豊岡組からはなかなか手厚く扱われている。それというのも、鬼頭組の組長である鬼頭征二《せいじ》が豊岡組長の孫に当たるからだ。豊岡に直系の孫は他におらず、いずれは鬼頭が豊岡組を継ぐのだろう。だが鬼頭は酒とギャンブルと女に夢中で組の運営もずさんだから、実際どうなるかはわからない。

なんにせよ、豊岡組と鬼頭組が経営する店が隣り合っているのなら、そこに接点がないわけがない。もしかすると和希たちが通り抜けたあの通路は従業員のためではなく、組の構成員のためにある非常通路だったのかもしれない。

（……てことは、あのサングラスは豊岡か鬼頭のどちらかの構成員ってことか？）

だとしたら確実にあの男は百瀬ではない。百瀬が暴力団に入ることなど、あり得ない。

確信を得た気分でホッと息を吐いた和希は、続けて小さく眉を寄せた。

「芝浦さん、よくあのバーが鬼頭と関係してるってわかりましたね？　俺たちずっとあの雑居ビルに入ってる店と豊岡系列の関係洗ってましたけど全然そんな情報出てこなかったのに、どこからそんな話……」

「そりゃあお前、企業秘密ってやつだ」

新聞をめくりながら芝浦は機嫌よく答える。

朝っぱらからのんきに新聞を読んでいても声高に芝浦が咎《とが》められないのはこの情報力のおかげだ。芝浦は様々な組の構成員に繋がる多くのパイプを持っている。

元来組対課というのは複雑な課だ。暴力団の根絶を最大の目標とし、組織内の人間関係や内情を聞き出すために、場合によっては構成員と親密な関係になる必要がある。そのため構成員と酒を飲むこともあるし、多少の犯罪行為には目こぼしもする。ちょっとした喧嘩《けんか》だのナイフの所持だの、そんなものをいちいち取り締まっていたら警察に情報を流してくれる者がいなくなってしまうからだ。暴力団という大きな組織を潰《つぶ》す名目の前では、ひとりやふたりの構成員が犯した犯罪など鼻息ひとつで吹き飛んでしまう。

結果、組対課の人間は多かれ少なかれ構成員たちと顔見知りになるわけだが、中でも芝浦の顔の広さは群を抜いている。まだ芝浦が若い頃知り合った構成員が年を重ね、今では組織の幹部になっていたりするものだから、そこから流れてくる情報の重要度たるや、他の刑事は足元にも及ばない。

「俺もいつか芝浦さんみたいになりたいです」

至極真面目に和希が口にした言葉を、芝浦は遠慮なく笑い飛ばした。

「お前、うちの課に回されてきてからずっと目ぇかけてた奴がいただろ。武藤《むとう》組の……棚橋《たなはし》とかいったか。あいつ、組を抜けちまったらしいぞ」

「え、自分からですか？　てことは、更生したっていう……？」

そうだろうな、と芝浦に頷《うなず》かれ、和希の顔に満面の笑みが広がる。その顔にちらりと視線を走らせ、芝浦は鼻の頭に皺《しわ》を寄せた。

「何を喜んでんだ。せっかく唾《つば》つけてた奴が組を抜けちまったんだぞ」

「それはそうですけど、でもひとりでも更生させられたんですから……」

「何甘っちょろいこと言ってやがる。情報源がひとつなくなった上に、今までそいつにかけた時間が無駄になっちまったってことじゃねぇか」

はあ、と和希は力ない返事をする。

ホストかギャンブラーかという派手な見た目とは裏腹に、和希はとことん情にもろい。芝浦が言う構成員は和希と同年代で、その上田舎《いなか》に母親をひとり残してきたなどと言うものだから会うたび親身に話を聞いていた。顔を合わせるたび、田舎に残った母親のためにも真っ当になれ、と滔々《とうとう》と言い聞かせてきたことが芝浦にばれたらどんな顔をされるだろう。

絶対に言わないでおこうと思った矢先、芝浦が力一杯舌打ちをした。

「サツが構成員の人生相談に乗ってやってどうすんだ。田舎におふくろさん残してんだかなんだか知らないが、奴らに感情移入しすぎると足元すくわれるぞ」

隠すまでもなく芝浦には筒抜けだったらしい。返す言葉もなく肩を竦める和希にも芝浦は追撃の手を緩めない。

「お前みたいにすぐ感情的になって相手に肩入れしちまうような奴は、本当は四課になんか向いてねぇんだよ。奴らは思いの外他人の懐に入り込むのが上手い。そんで一度懐に入り込むと、今度は本性剝き出しにして相手の弱いところを突いてきやがる。いつだったか、本店のお偉いさんでさえ奴らと癒着しちまって首切られたんだぞ」

和希は一応頷くものの、正直まるでぴんとこない。本店というのは本庁の隠語だが、長い交番勤務の末、先日ようやく所轄に配属されたばかりの和希にとって、本庁はあまりに縁遠く現実味が持てなかった。

ぼんやりした顔をする和希に芝浦は小言を重ねようとしたが、室内が慌ただしくなってきたのに気づいたのか、溜息と共に新聞を閉じて席を立った。

「ほら、そろそろ会議が始まるぞ。またデカいヤマらしいから、今度こそ挽回しろ」

「ば、挽回って……」

「風俗店で全裸に剝かれて安全課に捕まりかける刑事がどこにいる」

グッと言葉を詰まらせた和希を見下ろし、芝浦は唇の端を歪《ゆが》めるようにして笑った。

「よかったな。偶然隣の店に続く扉の鍵が開いてて」

和希の頰が強張る。平静を装おうと試みるも目が泳いでしまうのはどうしようもない。

例のサングラスをかけた男のことを和希はまだ誰にも報告していない。先行して潜入していたところ生活安全課が来て、店の奥に逃げ込んだら偶然隣の店に続く扉に気がついたということにしている。あの男のことを報告しようとすればどうしたって男に助けられた理由を尋ねられるだろうし、そうなったとき「俺の体が目的だったみたいです」とハキハキ答えることはさすがにできない。「キスされたから間違いありません」なんてもっと無理だ。

不思議なことに、和希と例の男が連れ立ってあの扉を抜けてきた姿を見ているはずの厨房《ちゅうぼう》スタッフたちは、口裏を合わせたように和希ひとりがあの扉から現れたと証言しているらしい。恐らく例の男に口止めされているのだろう。

しかしどこでどんな情報を仕入れてくるかわからない芝浦だ。もしかすると和希を助けた男の存在もすでに承知しているかもしれない。そう思って芝浦の顔を盗み見ても、不精髭《ひげ》の生えた顎をさすりながらあくびをする横顔からは何も窺い知ることはできなかった。

長い机をずらりと並べた会議室はすでに満席近かった。正面の長机に課長と係長が座り、その前に対面する形で捜査員たちがずらりと並ぶ。

芝浦と一番後ろの席に座った和希は、課長たちと共にこちらを向いて座る面々に気づいて眉を上げた。スーツ姿の男が三人。どの顔にも見覚えはない。

「もしかしてあそこにいるの、本店の人たちですかね？」

「かもしれねぇなぁ」

「捜査本部が立ったわけでもないのにですか？」

俺に訊《き》くな、と面倒くさそうに会話を打ち切られ、和希も黙って前を向く。

「全員揃ってるか？　じゃあ、始めるぞ」

室内を見回して声を上げた課長は隣の係長と、さらにその向こうにいる謎《なぞ》の男たちに目配せをすると、前置きなしで切り出した。

「早速だが、近々鬼頭組で大規模な麻薬取引が行われることが判明した」

室内にさざ波のような驚きが走る。つい先程話題に出たばかりの鬼頭組の名に和希も鋭く反応したが、その中で芝浦だけが退屈そうに頭の後ろで手を組んだ。

「本当に回ってきたか」

「え、な、何がです?」

「鬼頭組のヤマだよ。元々は本店で扱ってたって噂《うわさ》だがな」

噂、と口の中で呟き和希はぐるりと室内を見回す。周囲の様子を見る限り、誰ひとりそんな話を聞き知っている者はいないようだが。

どうやら芝浦の情報網は暴力団に限らず、警察内にも広く張り巡らされているらしい。

「伊達《だて》に年重ねてるわけじゃねぇよ。若い頃の顔見知りで出世してんのは組員だけじゃねぇんだ。本店にだっていくらか知り合いはいる」

芝浦は面白くもなさそうに呟き、課長などそっちのけで事件のあらましを語り始める。

芝浦によれば、今回の鬼頭組の件は長く本庁で追っていたという。

鬼頭組が麻薬売買を行っている情報は摑んだもののなかなか現場を押さえるには至らず、粘りの捜査でようやく検挙の目途《めど》をつけ、多くの人員を割き取引現場に乗り込んだのが先日のこと。だがあと一歩というところで鬼頭組に裏をかかれて取り逃したらしい。

この失敗はかなりの痛手だったらしく、本庁は事件そのものから手を引いた。その後始末を所轄に押しつけてきたという流れのようだ。

「だったら俺ら、本店の尻拭いさせられてるってわけですか」

「お前が怒るな。本店だってさすがに悪いと思ったから、応援としてあいつら送ってよこしたんだろ」

芝浦が顎先で示したのは課長たちの側に座る三人の男だ。合同本部が立ったわけでもないのに本庁の人間が来るなんて異例の措置がとられたのにはそうしたわけがあったらしい。

「でも、鬼頭組って本店で追うほど大掛かりな取引なんかやってました？　組長の鬼頭がボンクラで、組の運営もずさんだって話じゃ……？」

「薬に関しちゃ話は別だ。何年か前、豊岡の組長が自分のところで扱ってた薬の仕事を全部鬼頭に預けたんだよ。鬼頭が指揮をとるんじゃすぐパクれるかと思いきや、あいつらなかなか尻尾《しっぽ》を見せない。おかげで今じゃ鬼頭組は豊岡傘下でも筆頭の稼ぎ頭だ」

「なんで薬に限ってそんなに順調なんです？」

芝浦は和希の問いに答える代わりにもう一度前方を顎でしゃくった。顔を前に戻すと、課長の席の横に置かれたホワイトボードに一枚の写真が貼《は》り出されたところだ。

遠距離から撮影されたものなのか、写真には輪郭の不鮮明な男の姿が写し出されていた。その下に、捜査員が『サエキ』と書き添える。

「ちょうど鬼頭が麻薬を扱い始めた頃、その近辺でたびたび見かけられるようになったのがあのサエキって男だ。ボンクラの鬼頭が上手いこと警察の手をかい潜《くぐ》ってるのはあの男の采配のおかげだな。うちでも長いこと身元を洗ってるが、サエキって苗字以外一切不明。名前だって偽名かもしれねぇよ」

和希は芝浦の気だるい声と、麻薬取引の検挙と並行してサエキの動向も探るよう捜査員に檄《げき》を飛ばす課長の言葉を上の空で聞きながらホワイトボードの写真を凝視する。

「そんな重要な人物が、どうして今まで会議に出てこなかったんです……？」

「ごく一部の人間しかサエキのことは追ってなかったからな」

芝浦は鼻から大きな息を吐くと、和希のような下っ端が本来知り得ない事実をさらりと口にした。

「サエキが現れてから、鬼頭組の検挙率が大幅に下がってんだよ。ギリギリまで追い詰めても最後は逃げられる。単純にサエキの勘が鋭いってだけじゃ説明がつかない。だから上は、サエキに警察の情報を流してる人間が内部にいるって踏んで大っぴらにサエキの情報は上げてこなかったんだが……こうして写真まで出てきたってことは、俺らの与《あずか》り知らないところで内通者が捕まったってことなのかねぇ」

どこまでものんびりとした口調で署内の重要機密を口走る芝浦に、和希は力なく頷き返す。視線は先程から、前方の写真にガッチリと固定されたままだ。

多少輪郭はぼやけているものの、写真に映し出された男は頬骨の形が美しく、鼻筋が通って、唇は薄い。そして顔半分を隠す大きなサングラスをかけている。

間違いなく、先日風俗店から和希を逃がしてくれた男だ。

（百瀬――……）

思わず呟きそうになり、和希は慌てて掌《てのひら》で口元を覆った。

（まさか、あいつが暴力団なんて……あり得ないだろ？）

胸の中で呟いてみるものの、口元に当てた指先からは見る間に体温が奪われていく。不鮮明な写真は、見れば見るほど高校時代の百瀬を彷彿《ほうふつ》とさせた。瞬きのたび、男前のくせに気取ったところがなく、大らかでとっつきやすかった百瀬の姿が写真の上に翻る。

和希は写真から目を逸らし自分の手元に視線を落とす。口ではまさかと呟くものの、指先は動揺を隠せず微かに震えていて、それを隠すように和希は強く掌を握り込んだ。

警察官の勤務体制は、二十四時間勤務の当番、休みの非番、朝の八時から夕方までの日勤という三交代制になっている。

鬼頭組の大規模な麻薬取引の日時と場所が判明し、その現場を押さえて鬼頭組を検挙すると会議で通達があった日、日勤だった和希は寮に戻るなり久しく連絡をとっていなかった高校の友人に電話をかけた。

『あれ？　日吉《ひよし》？　どうした、久しぶり』

地元に残って家業を継いだ友人は長いブランクなど感じさせない軽い口調で電話に出て、

そんなことに少しだけホッとしながら挨拶《あいさつ》代わりの近況報告をした。そうしてひと通り喋《しゃべ》って会話が尽きると、和希は緊張で声を上ずらせつつ本題を切り出した。

「ところでさ、百瀬のことなんだけど……」

『百瀬？　ああ、お前がよくつるんでた奴？』

「あいつ今どうしてるか、知ってるか？」

『知ってるよ』と気楽な返答があると思いきや、なぜか受話器の向こうからはひんやりとした沈黙が返ってきてぎくりとする。

しばらくして、機械越しに溜息混じりの声がした。

『地元じゃ結構有名な話なんだけど……百瀬の親父《おやじ》さん、亡くなったんだよ』

「えっ、なんで⁉」

『自殺』

ポロリと通話口からこぼれた言葉に和希は息を詰める。とっさには返す言葉も見つけられず黙り込んだ和希に、友人はぽつりぽつりと告げた。

『詳しいことはよくわかんないけど、高校卒業してしばらくした頃かな、仕事でなんか失敗したみたいで。百瀬のところお袋さんいないだろ？　他に兄弟もいないし、葬式は百瀬が喪主になってちゃんとやってたんだけど、その後すぐに百瀬もどっか行っちゃってさ』

「ど、どっかって……今どこにいるのか全然見当つかないのか？」

『もうほとんど行方《ゆくえ》不明扱いだよ。通ってた学校も中退したって』

愕然《がくぜん》として、和希は耳に当てた携帯電話を取り落としそうになる。

友人は受話器の向こうでまだ何事か喋り続けているが、ほとんど耳に入ってこなかった。

その間も、先日雑居ビルで遭遇した男の顔が繰り返し頭に浮かんでは消えていく。

捜査会議で写真が上がったのと同一人物と思われるその顔が、どんどん高校時代の百瀬の顔に近づいていくのは、もうどうしようもないことだった。


和希が刑事を目指したのは、高校二年生のときだ。

夏休みにコンビニでバイトをしていた和希は、真夜中に突如現れた覆面姿の強盗に文化包丁を突きつけられるという、人生でもワーストスリーに入る緊急事態に見舞われた。

そこに偶然い合わせた非番の警察官が犯人に後ろから突撃し、最後は鮮やかな一本背負いを決めて確保。高校生の和希は無邪気にその姿に憧《あこが》れて、夏休みが明けるなりクラスメイトに「俺刑事になることにしたから！」と吹聴して回るようになった。

真夜中のコンビニで自分がどんな恐ろしい目に遭い、い合わせた警察官がどれほど凜々《りり》しかったかを和希は飽くことなく繰り返し、その相手をするのに疲れたのだろう、クラスメイトのひとりがこんな話を振ってきた。

「だったら警察関係者に話でも聞いてみたらどうよ。一組の百瀬ってやつ、確か親父さんが警察官だったぞ。本人も警官目指してるって」

今以上に単純で頭に血が上りやすかった高校生の和希は、同志がいる！　と一声叫ぶなり早速百瀬を探して教室を飛び出した。

一組の生徒から百瀬はいつも屋上で昼休みを過ごしているという情報を聞きつけた和希は意気揚々と階段を上り、屋上へ出る扉を力一杯押し開けた。

何に遮られることもない青空が視界一杯に飛び込んでくる。続けざま、高い笛の音が和希の耳を打った。

長い余韻を残して空に吸い込まれていく笛の音と、青空を背に立つ長身の学生。口元に手を当てたその人物は、どうやら指笛を吹いていたらしい。息を切らして屋上に上がってきた和希に気づくと、彼は初対面にもかかわらず和希に向かって穏やかに笑った。

その人物こそが、百瀬だ。

成長期男子なら誰もが羨《うらや》む長身と、女子が放っておかないだろう整った顔立ちに最初こそ圧倒された和希だったが、百瀬の笑顔には屈託がなく、突然警察の話が聞きたいと切り出した和希にも嫌な顔ひとつせず対応してくれた。

さらに恵まれた外見にもかかわらず百瀬に気取ったところはなく、昼休みは屋上に集まってくる鳩を手懐《てなず》けようと日々パンくずをばらまいては指笛を吹いているなんて茶目っ気のあるところも見せられて、和希はあっという間に百瀬に懐いた。

同じクラスになったことはなかったが、百瀬とは屋上でたくさんの話をした。ほとんどが警察にまつわることで、百瀬の父親が本庁勤務だという話もそこで初めて耳にした。

「本庁ってエリートが行くところだろ？　スゲーなぁ！　じゃあ、百瀬も本庁狙《ねら》い？」

出会って数度目の昼休み、和希が弁当を広げながら尋ねると、百瀬は購買部で買った焼きそばパンを頬張って「うーん」と低く唸った。

「俺はどっちかっていうと、叔父《おじ》さんみたいな刑事になりたい」

「え、叔父さんまでデカやってんの？」

「そう、親父とは違って叩《たた》き上げのデカ。一生現場主義っていつも言ってる」

「叩き上げ！　なんか格好いいな！」

「実際はそういいものでもないらしいけどな」

すぐさま「なんで？」と食いつく和希に、百瀬は乞《こ》われるまま警察内部の裏話的な話も披露してくれた。テレビで見聞きするより生々しく魅力的な内容に和希は夢中になり、百瀬と出会ってからというもの、昼休みの体感時間は格段に短くなった。

とりとめのない話をしながら二人で声を上げて笑い、ときどきは百瀬の真似《まね》をして指笛を吹いた。何度教わっても和希は上手く指笛が吹けず、そのたび百瀬はおかしそうに笑って一等高らかな指笛を青空に吹き渡らせた。

「いつか指笛で鳩をおびき寄せて、素手で捕まえるのが夢なんだよ」と百瀬は真面目くさった顔で言い、それよりずっと砕けた表情でこんなことも言った。

「高校卒業したら、大学には行かずに警察学校に行くつもりだ」

表情こそ柔らかかったが、百瀬の瞳は真《ま》っ直《す》ぐで迷いがなかった。

常々刑事になりたいと言っていたものの、和希は実際どんな手順を踏んで警察官になるのか知らなかった。漠然と公務員試験のようなものがあり、大学を卒業したらそれを受けるのだろうと思っていただけだ。だが実際は高校を卒業してすぐ、一年と少し先にはもう警察への扉が開かれることを知り正直和希はうろたえた。誰彼構わず警察官になりたいと言いふらしていたくせに、まだまったく覚悟ができていなかったことを思い知らされた気分だった。

それに比べて、百瀬はもうしっかりと先を見据えている。警察官になるということは、百瀬にとっては夢でも願望でもなく、確固とした目標なのだ。

そう思ったら、急にミーハー気分で警察官を目指す自分が恥ずかしくなった。

たちまち弁当に箸《はし》をつけるスピードが落ちた和希に気づいたときも、百瀬はやっぱり大らかに笑った。別に大学卒業してから警察学校に行っても遅くはないし、今すぐ決めなくてもいいと落ち込む和希を宥《なだ》めた百瀬は、でも、と優しく目を細めた。

「俺もお前も警察官になって、一緒の所轄に配属されたりしたら、面白いな」

心底楽しそうにそんなことを言う百瀬の顔を見て、和希も思わず身を乗り出した。

「そうなったら一緒に張り込みとかできるか？」

「同じ課に配属されたらな。どうせだったら捜査一課目指そう」

「花の一課か！　そしたらアンパンと牛乳買って張り込みしようぜ！」

「張り込みの定番メニューだな。俺は焼きそばパンがいい」

そんなくだらない話をしつつも、ちゃらんぽらんな自分とは違い、百瀬は本当に刑事になるのだろうと漠然と和希は思っていた。高校二年。明確な志望大学を決めている者すら少ない中で、卒業後は迷わず警察学校に行くと言った百瀬だから。

だから和希は、あれから十年以上たった今でも迷わず言える。

百瀬が暴力団に入っているなんて、そんなことあるはずがないのだと。


鬼頭組の大規模な麻薬取引の日が判明してから、四課は俄《にわ》かに忙しくなった。

鬼頭組の周辺状況を探りつつサエキの身辺調査を行い、当然通常業務もこなさなければならない。街でヤクザが喧嘩をしていると通報があれば駆けつけ、綺麗《きれい》なお姉さんに袖を引かれて飲み屋に入ったら強面の店員にぼったくられたと泣きつく者があれば店を調べ、それが暴力団と通じているなら指導に出向く。

日勤のはずが深夜まで仕事に追われ、翌日は二十四時間フル出勤という激務をこなし、お待ちかねの休日も帰宅するなり万年床に倒れ込んで、結局一日寝て過ごして終わりだ。

その日も目を覚ますと部屋の中はすでに暗くなっており、和希は布団に横たわったまま半《はん》眼《め》で溜息をつく。いっそこのまま休日を睡眠のみに費やしてしまってもよかったのだが、朝から何も食べていなかったことを思い出し食事をするため外へ出た。

年の瀬も迫りつつある街は、吹きつける寒風などものともせずに賑《にぎ》わっている。

和希は行きつけのラーメン店で餃子《ぎょうざ》とラーメンのセットを平らげると、温かくなった腹をさすり電飾で彩られた街をぶらぶらと歩き始めた。家に帰ったところで眠る以外にすることもなく、さすがにラーメンを食べただけで休日を終えるのも味気ない。

ジャンパーのポケットに手を突っ込んでゆったりと歩く和希を、すれ違う女性たちが振り返る。だが当の和希は店先に並ぶ高級時計についた値札の桁《けた》を数えるのに忙しく、女性の方も美形だがどことなく堅気《かたぎ》でない雰囲気の漂う和希に声をかけることなく、遠巻きに眺めては通り過ぎていく。

しばらく歩いて腹も落ち着き、そろそろ帰ろうかと踵《きびす》を返した和希は、ふと人混みの中に見知った顔を見た気がして足を止めた。

カップルや家族が楽し気に歩く賑やかな人通りの中を、スーツ姿の男がひとり足早に歩いている。細面に眼鏡《めがね》をかけ、厳しい表情できびきびと歩くその姿には見覚えがあった。

(鬼頭の件で本店からうちに応援にきてる、速水《はやみ》だっけ?)

勤務中なのか、スーツ姿の速水は視線を前方に定めたまま行きかう人波をすいすいとかき分けていく。一点を見据えて歩く速水の視線の先を追ってみれば、人混みの中で黒いコートを着た男たちが固まって歩く姿が目に飛び込んできた。総勢五名。中心を歩く男の周りを他の四名が取り囲む格好で、速水はその集団を追いかけているようだ。

非番の和希は、ごくろうさんだなぁと目を逸らそうとして、直前で動きを止めた。

黒い集団の中心にいる男は夜だというのに大きなサングラスをかけている。一瞬見えた横顔は鼻が高く、唇が薄く、遠目にも整った顔立ちで、和希の背筋に電流が走った。

(——……百瀬)

とっさに思い浮かんだ旧友の名を、和希は慌てて訂正する。あれは確かに先日風俗店で和希を助けてくれた男だが、百瀬ではなく、サエキだ。

前回の会議で初めてサエキの存在を公にした課長の話によれば、街中や鬼頭組の周辺でサエキの姿を見かけること自体はそう珍しくもないらしい。だがサエキは常に護衛を従えていて、それに邪魔され声をかけることはおろか尾行もろくにできないという。おかげで警察が完全マークしているにもかかわらず、サエキは徹底して身元を隠している。

サエキに気づいた和希はいても立ってもいられず、自分もこっそり彼らを追跡することにした。

尾行を始めてすぐ、和希は速水の他にサエキを追う人影は見当たらないことに気づく。

通常、捜査本部が立った場合は本庁と所轄の人間が二人一組になって動くのがセオリーなのだが、今回に関してはいろいろとイレギュラーが発生しているようだ。

そうこうしているうちに先頭の黒い集団が大通りから脇道に逸れた。すかさず速水が脇道に駆け寄り、少し間をおいてから後を追う。和希も逸《はや》る気持ちを抑え、速水と同じく時間をおいてから脇道に入った。

そこは道幅の狭い、薄暗い裏通りだった。数歩足を踏み入れればあっという間に喧騒が遠ざかり、それまで気にもかからなかった自分の靴音がやけに耳につく。しかも道は入り組んで、左右に細い通路が何本も伸びている。そのどこかに入り込んでしまったのか、視線を走らせてもサエキはもちろん、速水の姿も見つけられなかった。

迷ったものの、和希は当てもなく目についた細い道に入った。どうせ今日は非番だ。サエキたちを見失おうと誰に咎められることもなく、散歩をしたと思えばそれで済む。

そんな気楽なことを考えていたのが逆によかったのか、しばらく適当に裏路地を歩いていたら前方に先程の黒い集団が現れ、和希は胸の内で快哉を叫んだ。

後ろから様子を窺ってみたが、彼らを追う速水の姿はないようだ。路地でまかれてしまったのだろうか。本店の刑事さんも大したことないな、と密《ひそ》かににんまりしてもう一度黒い集団に目を向けた和希は、あれっと小さく声を上げた。

黒服の中心から、サエキの姿が消えている。

和希が見失っている間に黒服たちから離れたのだろうか。なんにせよ、サエキがいないのならあの集団を追う意味もないと和希が一歩後ろに足を引いたときだった。

和希の背に、ゴリ、と固いものが押し当てられた。

「今日はちゃんと服着て仕事してるんだな、刑事さん」

耳の後ろで低い男の声がして、和希はぎくりと全身を強張らせる。

その声には聞き覚えがあった。先日マッサージ店で和希を助けてくれた男の声だ。

振り返ろうとすると、背中に触れた固いものが痛いくらい強く押しつけられた。

「このまま歩け。下手に動くと腹に穴が開くぞ」

後ろから響いてくる言葉は短い。それだけに、はったりを言っている雰囲気ではない。

真冬だというのに一瞬で背中に汗が浮いた。そこに押しつけられているものの正体を知り、和希は男に押されるまま黙って歩き出す。

ろくな抵抗もできず連れられてきたのは、裏通りに軒を並べるラブホテルだ。さすがにギョッとしたものの足を止めることは叶《かな》わず、男と連れ立って無人の受付を通り過ぎる。

入口のタッチパネルで部屋を選べば受け取り口に鍵が落ちてきて、男は和希の背に銃を押しつけたままそれを取り上げた。

色褪《いろあ》せた臙脂《えんじ》の絨毯《じゅうたん》を歩いて部屋へ向かう中、銃口を向けられているのとは別の恐怖が和希の頭を掠めた。そういえば前回この男にキスをされたのだったと遅ればせながら思い出し、本来男の自分が感じる必要のない危機感に足が鈍る。そんな和希を、後ろから突きつけられた銃口が容赦なく前に押し出す。

目的の部屋の前で立ち止まると、後ろに立つ男が無言で腕を伸ばして鍵を開けた。背中に男の胸が触れるほど互いの体が密着して、和希の項《うなじ》がざわりと総毛立つ。

部屋に入ると振り返る間もなく後ろから乱暴に背を押された。前につんのめったところをもう一度押され、和希は数歩よろけて部屋の中央に置かれたベッドに倒れ込む。

ようやく男の体が離れ、和希はベッドの上で体を反転させて背後を振り仰いだ。

そこに立っていたのはやはり以前和希を助けてくれたサングラスの男で、会議中ホワイトボードに貼り出された『サエキ』で間違いない。

相変わらず大きなサングラスをかけたサエキは、和希に向けていた銃口を床に下ろすと、唇の端に微かな笑みを浮かべた。

「運の悪い客を助けてやったつもりが、まさか潜入捜査員とはな」

口ぶりから察するに、サエキは和希が刑事であることをすでに知っているらしい。あの後和希が表で待機していた捜査員と合流するところでも見たのだろう。

和希は改めてサエキと向かい合い口を開くが、何ひとつ言葉が出てこない。見上げるサエキの顔は見れば見るほど百瀬に似ていて、声が出なかった。

呆けたように自分を見上げてくる和希を見下ろし、サエキはわずかに首を傾ける。

「で？　わざわざ俺の後を追ってきたのは、前回の続きでもしたくなったからか？」

黒のスーツに同色のコートを着たサエキがベッドに近づいてくる。和希はその仕草や声に百瀬の片鱗を探すのに気をとられ、サエキの膝がベッドに乗るまでなんの返事もすることができなかった。

ギッと鈍くベッドが軋《きし》む音で我に返った和希は、間近に迫ったサエキの大きな体に慄《おのの》いて目一杯体を仰《の》け反《ぞ》らせる。目の前の男がホモだと思うと、凶悪犯と相対しているのとはまた別の恐怖に襲われた。

サエキはうろたえる和希をサングラスの向こうから眺め、見せつけるようにゆっくりと自身のネクタイに指をかけた。

「逃がしてやった礼を体で返す気になったか?」

和希が背中を逸らした分だけサエキも顔を近づけてきて、相手の体に染みついた煙草やフレグランスの匂いまでかぎわけられる至近距離に和希はパニックを起こしかけた。

「ち、違う! そうじゃなくて俺は……っ」

「その気がないのなら、勝手に返してもらうが」

サエキの大きな手が伸びてきて、和希の混乱が頂点に達する。

相手は銃を持っていて自分は丸腰。その上今日は非番で、自分が危機的状況に陥っていることを知る者は誰もいない。どこかから助けが来るわけもなく、目の前の男は得体が知れず、この場で自分が受けるだろう仕打ちを想像したら最早《もはや》ためらっている余裕などなかった。

「お前……っ、百瀬だろ！」

近づいてきたサエキの手が止まる。その反応に、やっぱり！　と目を見開いた和希だったが、サエキが動きを止めたのは一瞬のことだった。

「誰だ、そいつは」

にべもない返事をしてサエキが和希のジャンパーのファスナーを乱暴に引き下ろす。ギョッとしてサエキを突き飛ばそうとしたら、その手を銃のグリップで殴り飛ばされた。骨の芯《しん》にまで響く重い痛みに声を呑んだら、すかさずサエキが膝に乗ってきて、一瞬で下半身の自由を奪われた。和希はシーツに後ろ手をつき、のしかかってくるサエキを片腕でなんとか押し返す。

「百瀬！　なんで他人の振りするんだよ！　俺のこと助けてくれただろ！」

直前までサエキと百瀬は別人だと自分に言い聞かせていたことなど忘れ、和希は百瀬の名を呼び続ける。サエキはうるさそうに眉根を寄せると、再び銃を振り上げた。

グリップが顔面めがけて振り下ろされ、和希は目一杯首をねじる。それでも完全には避けきれず、こめかみを固いグリップが掠め、和希は呻《うめ》き声を上げ背中からシーツに倒れ込んだ。

「もも……っ」

「しつこい奴だな。別人だ」

動揺の欠片《かけら》も感じられない冷淡な声で言い放ち、サエキが再び銃を振り上げる。

目線でサエキが鎖骨に狙いを定めたのがわかった。無言で腕が振り下ろされる。

今度は体をひねったところで避けようがない。先程グリップが掠めたこめかみが鈍く痛み、手加減なしのその力に今度こそ本気で鎖骨が折れると思った。そして、こんなにも躊躇《ちゆうちよ》なく他人に暴力を振るえる男が百瀬のはずがないと、ようやく悟った。

学生時代、屋上で会う百瀬はいつも笑っていた。百瀬の大きな体は他人を威嚇するためのものではなく、相手を全身で受け止めるためのものだった。頭がいいのにそれを鼻にかけることもなく、小学生みたいにいつか素手で鳩を捕まえたいと言っていた。

そんな百瀬と目の前の男が、同一人物のはずがない。

無表情で銃を振り下ろすサエキの前で和希はきつく目を閉じる。瞼《まぶた》の裏に、屋上で見た青空が蘇《よみがえ》る。空に溶けていく笛の音まで耳の奥でこだまして、和希は思わず両目を見開いた。

「やっぱり百瀬！　あの店で指笛吹いたのお前だろ！」

叫んだ途端、サエキの銃が空中でぴたりと止まった。

表情こそ変わらなかったが、サエキは確かに和希の言葉に反応した。その隙を見逃さず、和希は銃を握るサエキの手首に渾身《こんしん》の力を込めて手刀を叩きつける。

不意打ちに対処しきれなかったのかサエキの手から銃が離れ、和希は素早くそれをベッドの下に払い落とした。続けざま腹筋で上体を起こし、銃の行方《ゆくえ》を追って横を向いたサエキのサングラスを払いのける。

サングラスは放物線を描き、音もなく絨毯が敷かれた床の上に落ちた。

和希から顔を背けた格好で、サエキはしばらく動かなかった。その顔がこちらを向くのを、息を殺して和希は待つ。やがてゆるゆるとサエキが動き、真正面から和希を見た。

長く隠されていたその目を見た刹那、和希の体からいっぺんに力が抜けた。

「百瀬――……」

唇から、溜息のような声が出た。

隠すもののなくなったサエキの顔を正面から見れば、それ以上の問答など不要だった。そこにいたのは間違いなく、百瀬だ。

こちらを見下ろす冷然とした無表情はかつて一度も見たことのなかったものだが、それでも整った顔立ちは見間違えようもなく、和希はふらふらと百瀬に向かって手を伸ばした。

「やっぱり、百瀬……なんでお前が、ヤクザなんか……？」

百瀬は近づいてくる和希の手を一瞥し、その指が届く前にベッドから立ち上がった。

「お前こそ、まさか本当に刑事になってるなんてな」

その言葉はサエキが自分を百瀬だと認めたも同然で、和希は中途半端に伸ばしていた手を力なく下ろす。十数年ぶりに百瀬と会えて嬉《うれ》しいような、暴力団員になっていたことを知り愕然《がくぜん》とするような、自分の中で渦巻く感情に上手く名前をつけられない。

床から銃とサングラスを拾い上げた百瀬はそれをコートのポケットにしまうと、部屋の隅に置かれていたソファーにドカリと腰を下ろした。

「鬼頭組に入ってからは本名すら警察に掴ませなかったんだが……まさか顔見知りが所轄に配属されるとは、大誤算だ」

長い脚をゆったりと組み、百瀬はソファーの肘掛《ひじかけ》に腕を乗せて頬杖《ほおづえ》をつく。

まだ混乱を鎮《しず》めきれず黙って和希がその顔を見返すと、百瀬はしばらく和希を見詰めた後、抑揚乏しく呟いた。

「……日吉、俺のこと覚えてるか?」

名前を呼ばれ、曲線を描いていた和希の背中が無自覚に伸びた。

やっぱり百瀬だ、と思い、覚えていてくれたのか、と意外な気分で考えて、その後じわじわと胸に湧《わ》き上がってきたのは、ごまかしようもない嬉しさだった。

「お、覚えてるに決まってるだろ! 高校の頃は毎日一緒に弁当食ってたんだから!」

胸ににじわりとにじんだ感傷を振り払おうと勢い込んで和希は答える。必死になりすぎて怒った顔になっていたかもしれない。

百瀬は黙って視線を落とすと、爪の先で軽く額を掻《か》いた。

「長いこと用心深く身元を隠してきたんだが、お前がいるとその努力も全部水の泡になるわけか」

ゆっくりと瞬きをして、百瀬が再び顔を上げる。そこに学生時代のような明朗さはなく、

ただ冷え冷えとして感情の揺らぎが感じられない。見詰められると冷たい蛇《へび》の口にずるずると呑み込まれていくようで居心地が悪く、もっと正直に言ってしまえば、怖かった。

百瀬の眼力に負けて俯《うつむ》きそうになる和希を見据え、百瀬は唇にうっすらと笑みを刷《は》いた。

「……参ったな。できることならこの場で——……お前を殺しちまいたい」

これまでほとんど表情を変えなかった百瀬の笑みに目を奪われた和希は、言葉の意味を理解するのに時間を要し、理解したら今度は金縛りにあったように動けなくなった。

百瀬は硬直した和希からふいと目を逸らすと、もう和希への興味など失《う》せた顔で口元に手を当て何事か思案し始めてしまう。ひとりベッドに取り残された和希は部屋から逃げ出すことも、ましてや百瀬を取り押さえることも忘れて百瀬の顔を凝視した。

（……俺の知ってる百瀬じゃない）

自然とそんな言葉が頭に浮かんだ。目の前にいるのは確かに百瀬だが、記憶の中の百瀬とは別人だ。

呆けた顔の和希をよそに百瀬はしばらく何か考え込んでいたようだが、結論が出たのか、肘掛に預けていた体を起こすと再び和希と向き直った。

「日吉、俺のことは誰にも話すな」

目の前の百瀬と記憶の中の百瀬を比較するのに集中していた和希は突然飛び出した言葉を聞き逃しかけ、一拍遅れてからその居丈高な物言いにムッと眉根を寄せた。

「そんなことできるか！　すぐ上司に報告する」

「黙っていられないなら、この場で消すぞ？」

「お、脅しには屈しないぞ」

気丈な言葉とは裏腹に、和希の声は尻すぼみになる。何しろ自分はなんの武器も持っておらず、対する百瀬は銃を手にしている。

百瀬は口元に指を添え、「脅しのつもりはないんだが……」と恐ろしいセリフを平然と吐くと、頬を強張らせる和希を見て肩を竦めた。

「デカに手を出すなんて命知らずなことは、さすがにできないか。単純に俺がパクられるだけならまだしも、お前らそれを口実に組にまでガサかけるだろ」

「と……当然だ！　鬼頭から芋《いも》づる式に豊岡までガサかけてやる！」

実際警察では構成員同士のちょっとした喧嘩を口実に組への家宅捜査を行うことも間々ある。それがわかっているからこそ、表を歩く構成員たちは意外なほどに品行方正だ。街で組対の刑事に会うと、向こうから頭を下げてくることも珍しくない。

とはいえ現状では、百瀬が絶対自分に手出しをしないという確証は持てず、和希は目一杯虚勢を張って百瀬を睨《にら》みつける。頑《かたく》なな表情を崩さない和希を一瞥して、百瀬はさして大した話でもなさそうに言い放った。

「来月、鬼頭組でデカい麻薬取引があるのはもう知ってるな？」

不意打ちに近い発言に、とっさに身構えることもできなかった。すぐに表情は取り繕ったつもりだが、きっと驚愕の表情は隠せなかっただろう。まともに百瀬の目を見ることができず、和希はあさっての方向を見ながら口をパクパクと動かす。

動揺を隠そうとして挙動不審になる和希を見て百瀬はクッと喉の奥で笑うと、胸の前で組んでいた腕を解いて体の横に広げてみせた。

「お前らがその情報を摑んでることはもう知ってる。それよりも重要なのは、鬼頭組で薬の取引を仕切ってるのが俺だってことだ。今俺をパクったら、当然取引は中止になる。そうなったら、お前らは鬼頭組を挙げる最大の機会を失うわけだ」

最早表情を隠すこともできず、和希は目を見開いて百瀬に視線を戻す。鎌をかけられたのかとも思ったが、百瀬は和希の反応を窺うでもない。まさか芝浦が言っていた通り本当に警察に内通者がいるのだろうか。和希は注意深く百瀬の表情を観察しながら口を開く。

「……どっちにしろ、警察にその情報が漏れてるのがわかってるなら取引は中止だろ？」

「いや？　続行する」

百瀬の口元に笑みが浮く。感情に伴い表情が動くというより、意識的に唇の端を引き上げて笑みを作っているような底の見えない表情で、百瀬はあっさりと断言した。

「取引は続行だ。お前らは安心して取引現場に来ればいい。鬼頭組を潰したいのはお前たちだけじゃない、俺だって一緒だ」

和希は百瀬の言葉を何度か反芻《はんすう》し、それでも理解できず眉間に深い皺を刻んだ。

「ま……待て、お前……だって、鬼頭組の人間なんだよな？」

「そうだ。今はな。本音を言えば早々に抜けたいところだが、鬼頭がしつこい。組を抜けるには組ごと潰すしかなさそうだ」

「自分が組抜けするために組を売るっていうのか？」

「他に方法がないんだから仕方ないだろう」

組をひとつ潰そうとしているというのに、百瀬の口振りは平然としたものだ。どこまで本気かわかったものではない。

（でもここで百瀬を捕まえたら、確かに取引は中止になる……）

鬼頭組が麻薬を扱い始めたのと、組の周辺で百瀬が目撃されるようになったのは同時期だ。百瀬が取引を一手に引き受けている可能性は高い。百瀬が捕まれば、そこから警察に取引の日取りがばれることを危ぶんで鬼頭が取引を中止する可能性も大いにある。

考え込む和希に、百瀬はゆったりとした口調で告げる。

「何も一生黙ってろって言ってるわけじゃない。次の取引が終わって、無事鬼頭組が検挙されたら上司にでもなんでも好きに俺のことを報告すればいい」

「え、言っていいのか？」

当然この先もずっと口を噤《つぐ》んでいるよう強要されるとばかり思っていた和希は、肩透かしを食らった気分で目を丸くする。百瀬は頷いて、人差し指をぴんと立てた。

「これから取引までの一ヶ月、俺を泳がせておいてくれればいい。それだけでお前らは鬼頭組を挙げられるんだ。悪い話じゃないだろう？」

「で、でも、その間にお前が行方をくらませるとか……」

「行方をくらませるも何も、端《はな》からお前ら俺のヤサも知らないだろうが」

言われてみれば確かに、警察は百瀬の自宅どころか本名すらわかっていない。

百瀬の言う通り、このタイミングで百瀬の存在を上司に報告してみすみす取引を中止させることもないのかもしれないが、問題は百瀬がどこまで本気かということだ。

ふいの提案に、難しい顔でシーツの波間に視線を漂わせていた和希は顔を上げた。

「行方をくらまされるのが怖いなら、定期的に取引に関する情報をお前に流してやる」

「とりあえず三日後。待ち合わせの場所に俺が来なかったら上司に報告なりなんなりしろ。一度ここで別れても、俺は確実にお前に会いに行く。それで信じられないか？」

膝の上に肘を置き、軽く前に身を乗り出した百瀬が真っ直ぐに和希を見る。その顔に一瞬だけ学生時代の面影が宿り、和希の心が大きく揺らいだ。

どうせ警察が取引の日を掴んでいることはもう百瀬に知れている。百瀬が取引を成功させるつもりなら、ここで百瀬を捕まえても捕まえなくても警察が掴んだ情報は使いものにならない。それならば、一縷《いちる》の望みをかけて百瀬の提案に乗った方がいいのではないか。

(三日後、約束の場所に百瀬が来なかったときでも報告は遅くないかもしれない)

和希の心が傾いたことを悟ったのか、百瀬はソファーから立ち上がるとソファーの隣に置かれていた小さな冷蔵庫を開けた。

「決まりだ。待ち合わせ場所はこっちで指定していいか」

冷蔵庫から缶ビールを取り出した百瀬が、ここからさほど遠くない駅の名前を口にする。

とっさに頷きかけたものの、直前で和希は動きを止めた。所轄に配属されてまだ一年にも満たない自分が、こんな重要な判断を下してしまっていいのかどうか。

最後の最後で悩む和希の前に、百瀬が栓を開けた缶ビールを差し出してきた。

「別の場所の方がいいか?」

自分も片手にビールを持って百瀬が気楽に問いかけてくる。

ベッドに座って下から見上げる百瀬の顔は、高校時代、購買部で買ってきた紙パックの牛乳を手渡してくる顔と少し似ていて、自然と和希の手が伸びた。

「……いや、そこで大丈夫だ」

「じゃあ昼の十二時にロータリーの前で」

言いざま、和希の手にした缶に百瀬が自分の缶をぶつけてくる。

機嫌よくビールを口に運ぶ百瀬の顔はどんどん昔に戻っていくようで、百瀬の顔から目を逸らせないまま和希もビールに口をつけた。

ここに来るまでにかなりの緊張を強いられ喉が渇いていた和希は一息にビールを飲み干す。こんなときでもビールは美味《うま》い。だが、普段発泡酒ばかり飲んでいるせいか、少し苦みが強い気もした。

どこの銘柄だろうと目の前まで缶を持ち上げたら、ぐらりと視界が歪んだ。何かおかしいと思ったときにはもう体が横向きに倒れ始め、抗《あらが》う術《すべ》もなくベッドに倒れ込む。起き上がろうとするが、肩も足も泥のように重くて動かない。

急速に狭《せば》まっていく視界の片隅に百瀬が見える。百瀬はコートのポケットに手を突っ込み、やはり昔とは違う、冷ややかな顔で薄く笑って和希を見ていた。


ひどい喉の渇きを覚えて目を覚ました。

ぼんやりと瞬きをした和希は状況が摑めないまま、のろのろと手足を動かし体を起こす。途中、こめかみの奥に痛みが走って眉を寄せた。頭だけでなく喉もやたらと痛い。咳《せ》き込《こ》むとその振動でまた頭が痛んだ。

喉元を押さえて辺りを見回すと、場所はラブホテルの一室のまま、自分はベッドの上にいて、シーツの上にはビールの缶が転がっていた。

そして、室内に百瀬の姿は見当たらない。

下手に頭を動かすと痛みが走るので、和希はゆっくりとした動作で辺りを見回す。その視線が、傍らに転がっていた缶ビールで止まった。わざわざ栓を開けて手渡されたビールは、普通のそれより少し苦みが強く感じたのだが――。

（……一服盛られたか）

常にない頭痛と倦怠感に苛《さいな》まれ、和希は差し出されたビールに無防備に口をつけた自分を罵《ののし》る。相手が百瀬だと思ったら、どうにも気が緩んでしまった。

こめかみに指を当てたままベッドを下りた和希は、一応バスルームの扉も開けて中を覗いてみるが、当然そこにも百瀬の姿はない。

わざわざ薬で自分を眠らせてからこの場を離れるなんて、去り際を尾行されるとでも思ったのだろうか。それとも百瀬が持ちかけてきた取引自体がでまかせだったのか。

溜息をつき何気なくバスルームの鏡を見た和希は、そこに映し出されたものを見てギョッと目を見開いた。

鏡に映る首元に、赤黒い痣《あざ》ができていた。おっかなびっくり鏡に顔を近づけて確認すると、手の形をしているように見えなくもない。まるで誰かに首を絞められたかのような。

刹那《せつな》、意識を失う前に聞いた百瀬の声が耳の奥で蘇った。

『できることならこの場で――……お前を殺しちまいたい』

微かに笑いすら含んでいたあの言葉が冗談でもなんでもなかったことを唐突に悟り、和希の背筋がスゥッと寒くなった。

もしかすると百瀬は眠る自分を本気で殺そうとして、実際首に手をかけたのではないか。痣がつくほど強く締め上げ、でも途中で止めた。本人が言っていた通り警察関係者に手を出すのは得策ではないと思い直したからだろうか。百瀬の真意はわからない。

ふらつく足で部屋に戻ると、百瀬が座っていたソファーの足元にビールの缶が一本残されていた。近づいて振ってみるが中身はない。

ふいに、百瀬がビールを傾けながら自分の寝顔を眺め、殺そうか止めようか思案している姿が鮮明に思い浮かんだ。他人の生死を決めるときでさえ無感動な表情を崩さない百瀬の姿は単なる想像でしかないのにやけに現実味を帯びていて、和希はそっと自分の首筋をさする。百瀬が気まぐれを起こしていたら自分は生きてこの場にいなかったかもしれないと思ったら、情けなくも膝が震えた。

(もう本当に、あいつは俺の知ってる百瀬じゃない――……)

そう自分自身に言い聞かせ、和希は強く目をつぶる。

瞼の裏の闇に、高校時代に見た百瀬の優しい笑顔が消えていくのを感じながら。

ラブホテルに取り残された和希が外へ出ると、すでに夜が明けかけていた。

一度は自宅に戻ったものの二度寝をするだけの精神的余裕はなく、非番明けだというのに明らかに寝足りない顔で出勤した和希は、自席でそっと首元を押さえる。

ワイシャツの襟をきっちり閉めているので首についた痣は外から見えないはずだが、触れれば微かに痛みが走る。それを感じるたび本気で百瀬に殺されかけたのだと思い知らされ、和希の表情は暗くなる一方だ。

（……やっぱり百瀬のこと、課長に報告した方がいいんだろうか。取引当日まで百瀬の身柄を確保するのは待ってもらえないか交渉して……）

しかし報告した途端和希の意見などそっちのけで確保なんてことになったら目も当てられない。どうしたものかと頭を抱え込んだら、後ろ頭をパスッと軽く叩かれた。

「朝っぱらから居眠りしてんじゃねぇよ、新人」

顔を上げると、丸めた新聞を手にした芝浦に今度は額を叩かれた。いっそ芝浦にだけは相談してみようかとも思ったが、決めかねているうちに芝浦に顎をしゃくられてしまう。

「なんか知らんが、課長がお呼びだ。お前も一緒に来い」

「え、か、課長が？」

新人の自分が課長に呼び出されることなど滅多にない。まさか百瀬と会ったことがばれたのかと、和希は芝浦に先導されぎくしゃくと会議室へ向かった。

長机が部屋の中央に置かれた会議室には課長ひとりしかいなかった。パイプ椅子に腰かけた課長は分厚い下唇を突き出し、目顔で和希たちに自分の前に立つよう促す。横柄な態度はいつものことなので、和希は黙って課長の前で直立不動の姿勢をとった。その隣に眠た気な顔をした芝浦も並ぶ。

課長は和希と芝浦を交互に見ると、言葉でも探しているのかしばし目を閉じ、結局前置きなしで切り出した。

「突然だが、お前ら鬼頭組の麻薬取引の件から外れてくれ」

本当に突然すぎる通達に和希の姿勢が崩れる。和希は伸ばしていた背を曲げると前のめりになって課長に詰め寄った。

「な、なんですか急に？　鬼頭の件は人手が足りないくらいなんじゃゃ？」

「それよりも、その件から外れて俺たちは一体何すりゃいいんです？　このクソ忙しいときに通常業務だけこなしてりゃいいってわけもないでしょう？」

うろたえる和希を制し、芝浦が横から真っ当な質問をぶつけてくる。課長は渋い顔で芝浦を見上げると腕を組んだ。

「……本店からのお達しで、お前らには内通者探しをしてもらう」

その言葉に驚きの表情を浮かべたのは和希だけで、芝浦はむしろ想像通りだとばかり鼻から大きな息を吐いた。

「サエキに内部情報を流してる奴が所轄にいるって言うんですか」

「少なくとも本店のお偉方はそう思ってるようだな」

「どうせ鬼頭組がうちの所轄内にあるからなんて下らん理由で疑ってんでしょう?」

課長は何も答えなかったが、眉間の皺が深くなったのが返答の代わりだ。自分の部下たちを疑われ、内心課長も面白くないのだろう。

「でも、なんで俺たちなんですか……?」

ひとり話についていけない和希は恐る恐る声を上げる。こんなタイミングで鬼頭組の事件から外されるなんて、もしや密かに百瀬と接触したのがばれているのではないかと勘ぐってしまう。

だが課長は和希の質問にむっつりと口を閉ざしてしまい、代わりに答えたのは芝浦だ。

「そりゃお前、他に適任がいないからだろ。新人でまだ使えねぇお前と、仕事の手ぇ抜きまくってる俺。それぐらいしか内通者探しなんてアホな仕事に充《あ》てられる奴ぁいないいんだよ」

辛辣《しんらつ》な芝浦の言葉に目を白黒させつつ和希は課長に視線を移す。課長は腕を組んだまま深く目を閉じてしまい、芝浦の言葉を否定する気配はない。

役立たずの烙印《らくいん》を押されたも同然の仕打ちに、和希は思わず声を大きくした。

「そんな!　俺だって鬼頭組の事件追いたいです!」

「決定事項だ。子供みたいなことを言うな」

「いや、だって俺は――……っ…」

サエキの正体を知っている、と口にしかけて和希はグッと言葉を呑む。

ここで百瀬のことを打ち明けたらどうなるだろう。課長は百瀬の言葉を信じて取引の日までその身柄を拘束することを待ってくれるだろうか。

「なんだ。何かどうしてもあの件に関《かか》わりたい理由でもあるのか」

課長が眉を互い違いにして和希を見上げる。

和希は唇を微かに動かしたものの、結局声を上げることはなくぴたりと口を閉ざした。これまで長く鬼頭の右腕として立ち回っていた百瀬が、組を抜けるため警察に加担しようとしてくれているなんて、話したところで簡単に信じてくれるわけもないだろう。

けれどももしも本当に百瀬の言葉がすべて嘘なら、首に残ったこの痣はなんだ。

(あのとき、百瀬は俺のことを殺そうと思えば殺せたんだ。でもそうしなかった。いったんは殺しかけて、でもやめた。――きっと、俺との取引を実行する気になったんだ)

取引当日まで自分を泳がせておいてくれれば、定期的に取引に関する情報を提供する。百瀬は確かにそう言った。自分もそれを受け入れて、それでビールの缶をぶつけ合ったのだ。そのビールには薬が盛られていたわけだが、意識を失ってなお、自分はこうして生かされている。

(百瀬はきっと、もう一度俺に会いにくる)

それきり口を噤んだ和希に課長は怪訝《けげん》そうな顔をしたものの、すぐに会話を打ち切った。

「話は以上だ。今回の取引に関わる者はもちろん、他の者の動向もチェックしておけ」

はい、と短く返事をして和希が踵を返すと、その後をのたりのたりと芝浦もついてくる。

「なんだか面倒臭ぇことになっちまったなぁ」

部屋を出るなり言い放った芝浦に形ばかり頷いて、和希は足早に廊下を歩く。課長に百瀬のことを話さないと決めたことで、直前まで百瀬を信じるか否か迷っていた自分の気持ちも定まった気がした。

(俺は百瀬を、信じよう)

たとえ百瀬が暴力団員になっていようと、最終的にその手に手錠をかけなければいけなくなるとしても、学生時代の百瀬の姿を知っている自分だけは、百瀬を信じようと思った。

持ち前の情の深さが顔を出し思い詰めた表情で歩いていた和希は、廊下の角を曲がった先からやってくる人物に気づかず、正面から勢いよく衝突した。

「うわっ！　すみません！」

とっさに謝った和希だが、相手はちらりとこちらを見ただけで会釈もしない。神経質そうに眼鏡を押し上げたその人物は、本庁から応援で来ている速水だ。

昨日街中で速水を見かけたことを思い出して声をかけようとした和希だが、そんな暇もなく速水は足早にその場を離れてしまう。その背中を和希と一緒に見送って、芝浦はだるそうに首を回した。

「敵意も露《あら》わな目ぇしやがって。どうせ本店から来てる奴らは全員俺たちのことスパイかなんかだと思ってんだろ」

芝浦は天井に向かって両手を突き上げ伸びをすると、面白くなさそうに呟いた。

「でも俺たちも今日から、あいつらと同類になっちまうんだな。身内を疑わなきゃいけないなんてよぉ」

新聞読む時間がなくなっちまうじゃねぇか、とぼやいて芝浦が和希の隣を通り過ぎる。気にするところはそこなのかとさすがに呆れつつ、和希も芝浦の後を追った。


結局誰にも百瀬のことを報告しないまま仕事を終え、和希はひとり署を出た。

自宅の寮は署から歩いて十分ほどの場所にある。とっぷりと夜も更けているので道行く人はほとんどいない。吹きつける風は冷たく、一刻も早く家に帰ろうと思うのに、夜道を歩く和希の足取りは内心の迷いを反映したように鈍かった。

署にいるときは百瀬のことを黙っていようと決心したつもりだったが、こうしてひとりになるとたちまち自分の判断は間違っていないか不安に駆られる。

(上司への報告を怠ったとかいってまた交番勤務に戻されるなんてことないよな……？　や、やっぱり明日にでも課長に報告しておくべきか……？)

頬を打つ寒風に首を竦め、和希がそんな気弱なことを考えたときだった。

背後から一台の車が近づいて、人気《ひとけ》のない細い道をライトが照らし出した。煩悶《はんもん》しながらも無意識に道の端に避けた和希だったが、いつまで経《た》っても車は和希を追い抜かない。

低いエンジン音がすぐ後ろまで迫っていることに気づいて和希が背後を振り向いた途端、車の中から数人の男が飛び出してきた。

驚きつつも、こちらに駆け寄ってくる男の人数をとっさに和希は確認する。全部で三名。車のライトで逆光になり顔ははっきりしないが、全員黒のスーツを着て体格がいい。

考えるより先に体が動いた。コートの裾を翻してその場から走りだしたが、後ろから伸びてきた手に肩を摑まれ引き寄せられる。靴の踵が地面を擦《こす》って、大声を上げようとしたらそれを見越していたかのようにみぞおちに拳《こぶし》を叩き込まれた。

「ぐぶっ……！」

体の芯に衝撃が走り、胃の中のものが逆流しそうになった。自分の意思とは関係なく痛みに体が硬直し、抗う間もなく手荒に車の助手席に押し込まれる。

男たちの動作は手馴《てな》れている。このまま車で連れ去られたら二度と戻ってこられなくなりそうで、和希は夢中でドアの外へ手を伸ばした。けれどその鼻先でドアは閉まり、無情にも車が発進する。

和希は死に物狂いでドアノブに手をかけるがガツンとした手応《てごた》えがあるだけでドアは開かない。鍵を外しても結果は変わらず、どうやら外からでないと開けられないらしい。

みぞおちに残る痛みに呻き、どう考えても堅気のやり方ではないと和希は断じる。鬼頭組の仕業だろうか。四課に配属されたのだからこういう事態が起こり得ることも予期していたつもりだったが、さすがにすぐには冷静さを取り戻せない。心拍数が急上昇する。

とにかく状況を確認しろと自分を叱《しか》り飛ばし、素早く後部座席に目を走らせる。同乗者はいない。先程道路に下りてきた男たちは車に乗り込まなかったようだ。和希は息を整えると意を決して運転席を振り返り、そこに座っていた人物を見て目を丸くした。

運転席でハンドルを握っていたのは、百瀬だ。

思わず和希がその名を叫ぶと、相変わらず昼夜関係なくサングラスをかけた百瀬は、和希に横顔を向けたまま薄く笑った。

「一応世間じゃサエキで通ってる。その名前で呼ぶのはよせ」

「お前……っ、そんなこと言ってる場合か！　どこの組のもんかと思っただろうが！」

「鬼頭組のもんだが？」

百瀬の返答に、それはそうだと己の言葉の間抜けさを悟って和希は黙り込む。高校時代の記憶が強すぎるせいか、どうにもまだ百瀬が暴力団員だと実感が持てない。

今だって決して気を抜いていい場面ではないのだが、相手が百瀬だとわかった途端現金なくらい平常心が戻ってきた。和希が大きく息を吐いてシートに凭《もた》れかかると、百瀬は軽やかにハンドルを切りながら世間話でもする調子で切り出してくる。

「上司に俺のことは報告しなかったみたいだな」

脱力していた和希の体が再び強張る。目を剝いて百瀬の横顔を見上げると、その気配が伝わったのか百瀬は片手で口元を押さえて笑った。

「麻薬取引の捜査からも外されたんだろう？」

「なんでお前がそんなこと知ってるんだよ⁉」

動揺して運転席に身を乗り出した和希を、「ハンドル切り損ねて俺と心中したいか」と短い言葉で追い返し、百瀬は肩を竦めた。

「察しが悪いな。取引の件から外されて、今度は何をさせられることになった？」

百瀬の問いに空白の表情を浮かべた和希は、次の瞬間ハッと目を見開いた。

「内通者！」

言葉もなく、百瀬は口元に浮かべた笑みを深くする。

百瀬に情報を流している内通者の存在は前々から疑われていたようだが、本当にそんな者がいるのか半信半疑だった和希は驚愕の表情を隠せない。しかしこうして百瀬が警察内のやり取りを詳細に把握しているということは、確かに身内に内通者はいるのだ。

赤信号で車が停《と》まる。呆然とした顔をする和希に、百瀬がぽつりと呟いた。

「今日にでも上司に報告するもんだと思ってたんだがな」

「……お前のことか？」

まだ少し呆けた顔で和希が尋ねると、百瀬は前を向いたまま頷いた。その横顔を見て、和希は小さく首を傾《かし》げる。

「なんで。お前と約束したのに言うわけないだろ?」

信号が赤から青に変わる。けれど車は動かない。いつまで待っても百瀬からの返答はなく、和希が信号へ視線を移すと、ようやく車が走り出した。

「……ホテルで一服盛られたってのに、おめでたい奴だな」

「あ、そうだ。お前いくら後追っかけられるのが嫌だからってあれはないだろ。なんの薬だか知らないけど、午前中いっぱい頭痛がひどかったんだからな」

言うことはそれだけかとばかり百瀬の視線が和希の首元に飛ぶ。だが和希は敢《あ》えてその話題には触れなかった。あの部屋で百瀬が何を考えたにしろ、こうして自分は生きてこの場にいる。それだけで十分だ。

百瀬はしばらく無言で車を走らせた後、なぜか小さな溜息をついた。

車内を沈黙が満たし、和希も黙って百瀬の横顔を窺い見る。サングラスで目元が隠されているものの、こうして百瀬を見ていると高校の屋上で弁当を食べていた延長線上にいる気分になって、気がつけば和希はぽつりとこう漏らしていた。

「……なあ、お前ってホモだったの?」

質問が唐突すぎたのか、瞬き一回分の沈黙の後、フッと百瀬が口元を緩めた。

「知り合いがヤクザになってたことよりホモになってた方が衝撃的か?」

「いや、そういうわけじゃないけど……」

百瀬がヤクザになっていたことの方が衝撃度は大きかったに決まっている。むしろ衝撃が大きすぎるあまり未《いま》だに実感が湧かないくらいだ。それならばまだホモだった方が受け入れるにやぶさかでない。それだって十分受け入れがたい事実ではあるが。

窓の向こうを流れる街の光を背景にハンドルを切る百瀬は、間の抜けた和希の質問がよほど気に入ったのか口元に機嫌よさ気な笑みを浮かべている。前回ホテルで見た作り物めいた笑みではなく、温かな血の通ったその表情を見ていると昔の記憶ばかりが蘇り、和希にはどうしても百瀬が暴力団員になったことが信じられない。

警察学校に行く、叔父のような叩き上げのデカになる。迷いもなく言い切った百瀬の真っ直ぐな目が自分を貫いたのは今も記憶に鮮明で、和希はぼんやりと口を開いた。

「……組、抜けられないのか?」

またしても唐突な問いだったが、今度のそれには百瀬も表情を変えなかった。口元に笑みを残したまま、「無理だな」とあっさり言い捨てる。和希が食い下がろうとすると、ふいに車が停まった。

どこに連れてこられたのかと暗い窓の外に視線を向けたら、いきなり運転席から百瀬の手が伸びてきて和希の胸倉を摑んだ。強い力で引き寄せられ、前のめりに運転席へ倒れ込む。乱暴な扱いに抗議の声を上げようとしたが、予想外に近いところに百瀬の顔があって喉元まで出ていた声が引っ込んだ。

百瀬は和希の胸倉を摑んだまま、もう一方の手でサングラスを外す。切れ長の目が露わになって、和希はそこから視線を逸らせない。遠い昔、優しくて聡明な草食動物のようだと思った目は、今や獰猛《どうもう》な肉食獣のそれだった。

「俺に組から抜けて欲しいか？」

低く囁かれ、唇に百瀬の吐息がかかる。それが呼び水になって以前百瀬にキスをされたことを思い出した和希は、蘇る記憶を意識の外に追い出そうと無駄に大きな声を上げた。

「と……っ、当然だ！　元同級生だからな！　まっとうになれ！」

体を後ろに引こうとする和希を許さず、摑んだ胸倉を自分の方に近づけて百瀬はうっすらと目を細める。

「組から抜けたら、お前、俺の愛人になるか？」

思いがけない申し出に「へっ？」と間抜けな声を上げてしまった。

「お前がそこまで本気なら、考えてやらないこともない」

唇にかかる吐息が熱くなった気がして、和希の混乱と動揺が一気に跳ね上がる。

「お、おお、お前……っ、またそんなこと言って、じっ、冗談だろ⁉」

首を仰け反らせ顔だけ後ろに引く和希にますます顔を近づけ、百瀬は眉を上げた。

「どうして冗談だと思う？　大体お前、俺をホモだと思ってるんだろう？」

「そりゃ……えっ、だって、違……？」

最後の確認をする時間も与えられず、百瀬が和希の唇に噛《か》みついてきた。

言葉を封じるように下唇を軽く噛まれただけだったが、同性にそんなことをされて軽く流せるほど和希の胆《きも》は据わっていない。驚きすぎて喉から悲鳴じみた声がほとばしり、渾身の力を込めて百瀬の手を振り払う。

服を摑む百瀬の指は思いの外簡単に離れたものの、百瀬はまたすぐに手を伸ばしてくる。大きな手が今度はどこに触れてくるか想像もつかず、和希は助手席のドアに背中を押しつけるとすがる思いでドアノブに手をかけた。その間も、ずるずると闇を這《は》う蛇のように百瀬の腕は伸びてくる。

妙な威圧感に完全に吞まれ、車に押し込められたとき鍵がかかっていたことなど失念してガタガタとノブを引いていると、ふいにドアが開いた。百瀬がロックを外したらしい。

ドアに体重をかけていた和希は背中から道路に転がり落ちたが、痛みすら感じなかった。体を起こすなり悪い輩《やから》を封印するように力一杯ドアを閉めると、車がゆっくり走り出す。

窓の向こうで、サングラスをかけ直す百瀬の横顔が見えた。その口元に浮かんだ楽し気な笑みを和希は放心状態で見送る。

自分が放り出された場所が住み慣れた寮の前だと和希が気づいたのは百瀬の乗った車が完全に見えなくなった頃で、百瀬にからかわれたと気づいたのはそれよりもっと後、夜風で体がすっかり冷えた頃だった。

冬の陽射《ひざ》しは柔らかい。道路に落ちる影の輪郭もぼやけて見える。顔を上げると道行く人の姿も二重に見えた。単なる寝不足のせいかもしれないが。

夜勤を終えたその足で百瀬との待ち合わせ場所にやってきた和希は、まばらに行きかう人を眺めてあくびを嚙み殺す。本当は一度寮に戻って着替えようと思っていたのだが、未明に繁華街でチンピラ同士の喧嘩があり、そこに一般人の酔っ払いが絡んで騒ぎが大きくなった挙げ句、途中でチンピラには逃げられるわ保護した酔っ払いは泥酔して支離滅裂な発言を繰り返すわで散々に手こずらされ、寮に戻っている時間がなくなったのだ。

堪《こら》えきれず、和希は大きな欠伸《あくび》を漏らす。目の端ににじんだ涙を手の甲で乱暴に拭い、もう一度顔を上げるとロータリーに黒い車が入ってきた。

エンブレムこそついていなかったが厳つい車体はいかにも高級そうだ。ぼんやりとそれを目で追っていると車が近づいてきて、和希の前でぴたりと停まった。

助手席から車と同様に厳つい、プロレスラーがスーツを着たような男が降りてくる。徹夜明けで頭の回転が遅くなっている和希が漫然とそれを見ていると、男は迷わず和希に近づいて言葉もなく和希の手首を摑んだ。

「う……わっ！」

強く和希の手が引かれ、たった今男が出てきたばかりの助手席に放り込まれる。和希は上半身から助手席に倒れ込み、体勢を立て直す間もなく外から乱暴にドアが閉められた。

動き出した車の中、不自然な体勢でシートに倒れ込んだ和希は、つい最近もこんなことがあった、とむすっとした顔で思った。最早うろたえる気にもなれず運転席を見れば、思った通りサングラスをかけた百瀬がいる。

「……お前、毎度拉致《らち》するみたいに車に引っ張り込むのやめろよ」

「悠長にしてたらどこかで待ち伏せしてる連中に取り押さえられるかもしれないだろう」

和希以外の警察関係者があの場に張っているとでも思ったらしい。和希は眉を寄せ、お前のことは誰にも言ってねぇよ、と低く呟いたが、百瀬は特に返事をしなかった。

実際のところ、和希はこうして百瀬と会うことを誰にも報告していない。

署内の情報は百瀬に筒抜けなのだから、百瀬とて和希がひとりでここに来たのは承知しているはずなのだが、それだけ用心深いということだろうか。警察が追い回しても、なかなか尻尾を摑ませないだけのことはある。

「……どこに向かってんだ？」

滑らかに車を走らせる百瀬に尋ねると、百瀬は平然とした顔で「遊園地」と答えた。

聞き間違いかと思い和希が運転席に顔を寄せると、百瀬は運転中にもかかわらず和希の耳に唇を近づけ囁《ささや》いた。

「デートだ。つき合え」

艶《つや》を帯びた低い声が耳に流し込まれ、和希は飛び上がってドアの方に身を引いた。

ハンドルを切りながら、百瀬が喉の奥で笑い声を押し殺す。

前回百瀬に唇を噛まれたのが未だ頭から離れず過剰反応してしまった和希は、赤くなった耳を掌で擦り仏頂面で前を向いた。遊園地というのもどうせ自分をからかう冗談だろうと思いきや、数分後、百瀬は本当に遊園地の駐車場に車を停めた。

「……お前、本気か？」

駐車場から観覧車を見上げた和希は呆然と百瀬に問いかけるが、園内へ向かう百瀬は振り返りもしない。そのまま置いていかれそうになって、和希も慌てて後を追った。

郊外にある遊園地は平日であることを差し引いても人が少なく寂れていた。乗り物の数が少ない割に敷地は広く緑が充実していて、遊園地というより植物公園といった風情だ。

ガタガタと聞く者の不安を煽《あお》る音を立てて頭上を走るローラーコースターを見上げ、下手なジェットコースターよりスリルがありそうだと口を半開きにした和希を百瀬が振り返る。

「昼飯は食ったか？」

唐突な質問にとっさに首を横に振ると、百瀬は軽く頷いて売店へと足を向けた。

百瀬が何を考えているのか理解しかねてその後ろ姿を見守っていると、ほどなくして百瀬がプラスチックの器に盛られた焼きそばと、紙コップ入りのジュースを二つずつトレイに載せて戻ってきた。

ただでさえ睡眠不足で目に映るものすべてに紗《しゃ》がかかったようなのに、黒のコートを纏《まと》いサングラスで顔半分を隠した長身の男が、寂れた遊園地で焼きそばとジュースを買うという素面《しらふ》で見ても現実味の乏しい光景を目の当たりにして、和希は緩慢な瞬きを繰り返す。

百瀬は和希の反応など気にも留めず、売店の前に並んでいた白いテーブルに腰かけた。

「紅ショウガならカウンターにあったぞ」

平然とどうでもいい情報を披露する百瀬に曖昧《あいまい》に頷き、和希もその向かいに座る。早速割り箸を割った百瀬が焼きそばを食べ始め、和希も箸を手にしながら首を傾げた。

（……俺、なんでこいつとこんな場所で焼きそば食ってんだ？）

もしかするとこれは所轄で明け方に自分が見ている夢ではないか。そんなとりとめのないことを思いつつ視線を巡らせると、売店のレジ前で店員らしき女性たちがこちらの様子をチラチラと窺っている姿が目に入った。

「……百瀬、お前サングラス取れよ」

豪快に焼きそばをすすっていた百瀬が顔を上げる。理由を問うように沈黙する百瀬に、和希は百瀬のサングラスと自分を交互に指差した。

「こんな昼日中の遊園地に野郎二人でいるだけでも十分目立つのに、お互いスーツで、しかもサングラスまでしてたら滅茶苦茶不審だろ。下手すると通報されるぞ」

当番明けにそのまま待ち合わせ場所へ来た和希は丸一日着たよれたスーツ姿だし、百瀬も黒のスーツに黒のコートという微妙にヤクザな匂いのする格好だ。人目が痛い、と和希が目顔で売店を示すと、百瀬もそちらを振り返り、小さく肩を竦めてサングラスを外した。

思いがけずあっさりと百瀬の素顔が露わになる。ラブホテルのギラギラした照明とは違う、冬の柔らかな日差しの下で見るそれに、一瞬和希は目を奪われた。

自然光が百瀬の顔に淀《よど》んでいた不穏さを拭い去ってしまったのだろうか。以前見たときよりも、百瀬の顔は穏やかだ。

サングラスをテーブルに置いて焼きそばをすする百瀬を見ていると、張り込みのときにアンパンを食べるか焼きそばパンを食べるかで盛り上がった学生時代を思い出した。

当時から百瀬は購買で焼きそばパンばかり買っていたが、いまだに焼きそばが好きなのだろうか。自分は今年の春からようやく所轄に配属されたが、まだ張り込み中にアンパンを食べたことはない。

そんなとりとめのない言葉が溢《あふ》れそうになり、和希は箸を強く握り直すと、百瀬に伝えようとしていた言葉ごと焼きそばを口の奥に押し込んだ。

いい加減、警察官になると言った過去の百瀬と、鬼頭組で組長の右腕として動く今の百瀬は別物として考えなければと思った。やたらと昔のことを思い出していては情にほだされ、正しい判断を見失ってしまう。

　気を引き締めて焼きそばをすする和希の前で、先に食事を終えた百瀬がゆったりと脚を組む。和希たち以外客のいない売店前は静かで、無言で百瀬に見詰められると急《せ》かされているわけでもないのに落ち着かない。

　和希が急ピッチで焼きそばを食べていると、二人の側《そば》に数羽の鳩が舞い降りた。売店前に落ちている食べかすでも狙ってきたのか、和希たちから数メートル離れたところで鳩たちは低く喉を鳴らしている。口一杯に焼きそばを頬張って和希がそちらを見ると、冬の乾いた空に高らかな指笛の音が響き渡った。

　和希の視線が向かいの席に引き戻される。そこには親指と中指で輪を作り、それを口元に当てる百瀬の姿があった。

　大きく息を吸い込んだ百瀬の肩が上がって、再び辺りに指笛の音が響く。箸を止めてその姿を注視する和希には気づかぬ様子で、百瀬は鳩を見たままわずかに目元を緩ませた。

「アイツらやっぱり、指笛の音なんか見向きもしないな」

　その瞬間、再会して以来最も強烈に目の前の百瀬と記憶の中の百瀬がだぶり、和希は箸を取り落としそうになった。

　たった今、百瀬はもう以前の百瀬とは違うと自分に言い聞かせたはずなのに、そんな思いなど木端微塵《こっぱみじん》に吹き飛んだ。思わず声を上げかけたものの、百瀬は口元に当てていた手を外してしまい、すんでのところで唇を閉ざす。

口の中にはもう何も入っていないのにもどかしく口元を動かす和希には目もくれず、百瀬はコートのポケットから携帯を取り出すと画面を確認して無言で席を立った。そのままテーブルを離れてしまうから、和希も慌てて残った焼きそばをかき込み立ち上がる。

「今度はどこに行くつもりだよ」

口元についたソースを手の甲で拭いながら和希が尋ねると、百瀬は視線だけで前方を示した。和希も同じ方向に目を向け、ぽかりと口を開ける。冗談かと思い前を行く百瀬を見るが、百瀬はちらりと笑みをこぼしただけで何も言わない。それきり一度も足を止めることなく百瀬がやってきたのは観覧車の真下だ。

「……男二人でこれに乗るのか？」

「男女のカップルじゃなきゃ乗っちゃいけないなんて法律があるわけでもないだろう」

平然と言い返した百瀬は早々にスタッフの指示に従って観覧車に乗り込んでしまい、和希も渋い顔でその後に続いた。「それでは十五分間の空中散歩をお楽しみください」とお決まりのセリフを口にしたスタッフの顔が微妙に不審気だったのは見なかった振りで。

ゴンドラが地上を離れると、和希は困惑顔で百瀬と向かい合った。

「……なんで遊園地で観覧車なんだよ？」

「だから、言っただろう。デートだ」

薄く笑って答える百瀬が本気とは思えず睨みつけると、百瀬は軽く眉を上げて観覧車の外に視線を落とした。和希をからかうのもこの辺りが潮時と判断したのか、ようやくまともな答えを返す。

「園の入口に部下を立たせてある。お前を追ってきた警察関係者を見かけたらすぐ俺に連絡をよこすように言いつけてな。入口さえ押さえておけば人の出入りはすぐわかる」

まだ自分のことを疑っていたのかと内心肩を落としつつ、だからってなんで遊園地、と和希は首を傾げる。言葉にこそしなかったが、疑問は空気越しに百瀬に伝わったらしい。

「お前を追っかけてくるのは十中八九私服警官だ。その上大抵が男ときてる。お前も自分で言っただろう。他の場所ならともかく、遊園地に男が二人で入ってきたら嫌でも目立つ。迷わずお前を追ってきた奴らだと目星をつけられる」

「……その中に女がいたらどうすんだよ？」

「それも一発でわかる。めかした格好もせず男とこんな場所に来る女がいるか」

百瀬の言う通り、女性の私服警官たちは動きやすさを第一に服を選ぶ。服の色も黒や紺など目立たぬ色が多く、一見してデートの服装ではないことくらいわかるだろう。

ようやく遊園地に連れてこられた理由が判明して、和希は力なくシートに背中を預けた。きっと焼きそばを食べたのも、和希たちの後を追って園に入ってくる者がいないか少々時間をおいて確認するためだったのだろう。

曲がりなりにも気心知れた同級生をこんなにも疑うとは、どれほど用心深いのか。そこまで徹底して警察に身元を隠す理由もわからず、和希は疲れた声で尋ねた。

「それじゃ当然、観覧車に乗ったのもなんか理由があるのか」

「ここなら邪魔が入らないし、下の様子もよく見える。それに……」

段々と遠ざかっていく地上を見下ろしていた百瀬が急にこちらを向いて、おもむろに和希に手を伸ばしてきた。

また妙なことをするつもりかとギョッとして身を引いた和希だが、いかんせん逃げ場がない。下手に抵抗してゴンドラが大きく揺れるのも不安だ。下を歩いていたとき見かけた乗り物はかなり老朽化が進んでいて、メンテナンスは万全なのかと心配になった。

「お、おい、何するつもりだ！」

「単なるボディチェックだ。盗聴器でもしかけられてちゃたまらないからな」

「どこまで人のこと疑えば気が済むんだよ！」

「疑いすぎるくらい疑ってちょうどいいくらいだ。ほら、大人しくしてろ」

ゴンドラが揺れると外でギィ、と不穏な音がして、和希は一切の抵抗をやめた。そもそも盗聴器など持っていないのだ。好きに調べろとばかり両手を上げる。

百瀬は和希のスーツのポケットをすべて裏返して一通り体を叩く。それで終わりかと思いきや、今度は大きな手が和希の頬を包み込んだ。真剣な面持ちで百瀬が顔を近づけてきて、まるでキスをする直前のような格好に和希の心臓が竦み上がる。

「な、なっ……なん……っ」

「動くな」

短く言い捨て、百瀬は指先で和希の前髪を耳にかける。乾いた指が耳の後ろを撫で、ざわりと肌が粟立《あわだ》った。息が止まりそうになる。

百瀬はさらにワイシャツの襟の上からまだ痣の残る首筋に触れてきて、和希は体を固くした。百瀬もその反応に気づいたのだろう。ことさらゆっくりと和希の首筋を撫で下ろすと、頬を強張らせる和希を見て薄く目を細めた。

ドキリとしたのは、また首を絞められるとでも思ったからだろうか。胸のざわつく理由をはっきりとは理解できないまま、和希は目一杯虚勢を張って百瀬を睨みつけた。

「そ、そんなところに、何があるっていうんだよ……っ」

「いろいろあるだろう。耳に仕込んだインカムとか、ピアスに見せかけた盗聴器とかな」

百瀬は和希の顎の下に指先を滑らせると、愛撫《あいぶ》のようなゆっくりとした動きで和希の顎先を押し上げ上向かせた。喉元を晒《さら》す行為は妙な緊張感を伴い、和希の呼吸が浅くなる。

「イヤホンもつけてないし、襟の裏にも盗聴器は仕込んでなさそうだな」

満足気に呟いて、和希の顎から指を外した百瀬がようやく向かいの席に腰を下ろす。

頂上近くまで上がったゴンドラの中、入念すぎるボディチェックを終えた和希は詰めていた息を一気に吐いて両手を下げた。

学生時代の百瀬は初対面の相手にも穏やかに笑いかけてくれたというのに、この豹変《ひょうへん》ぶりはなんだろう。ぐったりと窓ガラスに頭を預けた和希は、こう尋ねずにいられない。

「なぁ百瀬、おまえどうしてヤクザなんかになったんだ？」

狭い観覧車の中で優雅に脚を組む百瀬が、窓の外に向けていた顔をゆっくりと正面に戻す。けれど百瀬は和希の顔をジッと見るばかりでなかなか口を開こうとしない。さすがに居心地が悪くなって和希が口を開きかけると、それを遮って百瀬が声を上げた。

「ヤクザ以外、誰も救ってくれなかったからだ」

平淡な声は決して大きくも鋭くもなかったが、ずしりとした敵意のようなものを感じて和希は口を噤む。こちらを見る百瀬の目は、売店の前で鳩を眺めて笑っていたのが嘘《うそ》のように冷淡だ。黙っていると威圧感に押し潰されてしまいそうで、和希は乾いた喉を上下させ無理やり口を開いた。

「ヤクザに、救われた？　嵌《は》められたとか、騙《だま》されたとかじゃなく……？」

なんとかひねり出した和希の言葉を、百瀬は鼻先で笑い飛ばす。

「一般人を食い物にするばっかりがヤクザじゃないだろう」

「いや、でも、ほとんどはそうだろうが。それなのにどうしてヤクザなんか……」

「なんか、ってのは、聞き捨てならないな」

和希の言葉を鋭く遮り、百瀬は和希を見る目を険しくする。大きく表情が変わったわけではなかったが険が増したその顔つきに、情けなくも言葉が引っ込んだ。

「大体、お前ら警察は躍起になって暴力団を根絶やしにしたがってるが、実際そうなったらどうなるかわかってるのか？」

「そ、それはもちろん——……」

「よりよい世の中になる、なんて阿呆《あほう》みたいなことは言うなよ」

まさにそんな内容のことを口にしかけていた和希は曖昧に唇を動かして別の言葉を探す。けれど百瀬は和希の返答を待たず、早々に観覧車の外へ視線を落としてしまった。

「国が救いきれなかった人間を最後に救ってくれるのが暴力団だ。俺も、なんの援助も行き場も見つけられず街をふらふらしてたところを奴らに拾われなければ、とっくにその辺の路地裏で野たれ死んでただろうよ」

学生時代の百瀬を知る和希としては、どうして援助も行き場もなくしたんだ、とよほど尋ねたかったが、百瀬の一切を拒絶する冷え冷えとした横顔に気圧《けお》されて声が出ない。

「暴力団は行き場を失った人間の最後のセーフティネットだ。世間から弾き出された人間を国で保護するルールも作らないまま、暴力団だけ根絶させてどうするつもりだ？」

無感動な目でそんなことを言う百瀬を、和希は黙って見詰める。そして、おぼろではあるが今日に至るまでの百瀬の境遇に思いを馳《は》せてみた。

いずれ警察官になるのだと語っていた百瀬は、きっとどこかでそれまで歩んでいた日の当たる道から転落し、地面に叩きつけられる直前で暴力団という網に引っかかったのだろう。和希から見ればそれは蜘蛛《くも》の糸に搦《から》めとられたようにしか見えないが、百瀬にとっては誰に手を差し伸べられることもなく落ちていくよりずっとましだったのかもしれない。

父親が自殺をした直後に警察学校を中退し、それきり地元では行方不明扱いになった百瀬が今日までどんな生活を送ってきたのか和希には想像もつかない。学生時代の朗らかな雰囲気が一切削《そ》げ落ち、こんなにも底冷えのする横顔を向けられてしまえばなおさらだ。

でも、と和希は無意識に口の中で呟く。

「でも俺は、お前と――……」

ごく小さな声を聞きとって、百瀬が視線だけ和希に向ける。冷え切ったナイフにも似たその視線を受け止めきれず、和希は力なく目を伏せた。

本当は高校時代のように、お前と一緒にデカになりたかったと言いたかった。それで一緒に、張り込みをしながらアンパンを食べたかった。あの頃語り合った夢をなぞるように口にしかけて、結局やめた。遠い昔屋上で交わした会話など、もう百瀬は忘れているかもしれない。

そして和希は、売店の前でも同じように言葉を呑んだ本当の理由を今さら悟る。

仕事のことなど抜きにして、自分は百瀬に当時の会話を忘れられていることが怖かったのだ。自分にとっては大事な思い出を、百瀬はとうに記憶の外へ捨て去っているかもしれない。それを確かめるのが怖かった。

それきり黙り込んでしまった和希に百瀬は水を向けようとはせず、ゴンドラ内は水底に沈められたような静けさに満たされる。息苦しいほどの沈黙に耐えかね、せめて百瀬の過去に何があったのかだけでも訊き出せないだろうかと和希が顔を上げたときだった。

「お帰りなさい、お疲れ様でした！」

不自然なくらい明るいスタッフの声と共にゴンドラの扉が開かれ、外から冷たい風が吹き込んできた。いつの間にか観覧車が一周していたらしい。

「案外短いもんだな。中で次の取引の内容を少し教えようと思ってたんだが」

先にゴンドラを下りた百瀬が振り返りもせず呟く。質問のタイミングを失った和希は百瀬の様子を窺ってみるものの、前を行く広い背中から感じとれるものは何もない。ゴンドラの中を満たしていた凍《い》てつくほどに冷ややかな空気も、外へ出た途端霧散してしまった。

一度途切れてしまった会話を再開させるとっかかりも見つからず、結局二人して無言のまま園の入口まで戻ってきてしまった。

寂れた遊園地に自動改札などという高級なものはなく、スタッフが人力でチケットを切って客を通す簡素な入口を出て駐車場に足を向けたとき、背後で女性の悲鳴が上がった。

反射的に振り返ると、遠くで女性が道路に倒れ込んでいるのが目に飛び込んできた。その体勢のまま女性が声を張り上げる。

「捕まえて！　ひったくりよ！」

職業柄、和希の目が素早く動く。すぐに猛然とこちらに走ってくる男を視界に捉え、和希はとっさに男の行く手を阻もうと道の真ん中で両手を広げた。

大きなマスクをつけて顔を隠した男は、腕を広げて迫ってくる和希に気づき体を反転させると遊園地の入口に向かって突進していく。その勢いのままチケットの確認作業をしていたスタッフを突き飛ばし、園内に逃げ込んでしまった。

和希は男を追って一も二もなく走り出す。尻餅《しりもち》をついたスタッフの横を駆け抜け、はたと百瀬のことを思い出して背後を振り返ると、百瀬はコートのポケットから煙草など取り出して悠々と一服し始めたところだった。

（あんにゃろ……！　仮にも元警察官志望だろうが！）

口の中で悪態をつき、顔を前に戻してから和希は奥歯を噛みしめる。

元、警察官志望。自分で口にしておいてひどく後味が悪かった。今は決してそうではないのだと思うと、胸の奥がギシギシと嫌な音を立てる。

和希は一度強く目をつぶると、意識を目の前の男に集中させた。女性物のバッグを脇に抱えた男は、時折和希を振り返りながら園の奥へと逃げていく。予想外に足が速い。振り切られぬよう余計なことを考えるのはひとまずやめて、和希は全速力で男を追う。

百瀬と焼きそばを食べた売店の前を駆け抜け、ペンキの剝《は》げかけたメリーゴーランドの前を突っ走り、園の一番奥にある観覧車の前を疾走し、ガタゴトと不安な音を立てるローラーコースターの下をひた走る。ほとんど園内一周だ。さすがに息が上がってきたが、前を走る男の足取りも覚束《おぼつか》ない。

ものの数分でさほど大きくもない園の入口まで戻ってきた男は、園内に逃げ場がないとを悟ったのか再び園の外へ出ようとした。入口にはまだ警備員も駆けつけておらず、それどころかチケットを確認していたスタッフの姿すらなくて和希は舌打ちする。

素早く視線を周囲に走らせると、入口を出てすぐの場所で百瀬が煙草を吸っていた。百瀬が入口の前で両手でも広げてくれればさすがに男も立ち止まるだろうが、ゆったりと紫煙を吐く様子から百瀬が動く気配は窺えない。

もう目の前まで男が迫っているというのに平然と煙草を吸い続ける百瀬に歯噛みをすると、和希の発散する苛立《いらだ》ちが伝わったのか、百瀬がゆるりとこちらを向いた。

その視線を捕まえて和希は叫ぶ。実際百瀬がどう動くかなど考えず、ありったけの大声で。

「百瀬！　現行犯だ、捕まえろ！」

本音を言えば、動くわけがないと思った。せいぜいが馬鹿にしたような笑みを浮かべて煙草の灰を落とす程度だろうと。

そんな和希の予想に反し、百瀬は指先で煙草を地面に弾き落とすとひったくり犯の行く手を阻むように園の入口に立った。

　それまで我関せずと煙草を吸っていた百瀬の突然の行動に一度は足を止めかけた男だが、背後から追ってくる和希を確認すると再び足を速めて百瀬に突進していく。それでも百瀬が入口からどかないのを見て、ここは逃げるのが先決と悟ったのか、男はひったくったバッグを放り出して百瀬に摑みかかった。

　飛びかかってくる男を前に、百瀬はやはり眉ひとつ動かさなかった。

　砂時計の砂が落ちていくのを見るような無感動な目で低く腰を落とした百瀬は、男の振り上げた拳を掌で受け止め下に受け流す。さらにバランスを崩した男が前のめりに倒れ込んでくるのを半身になって避けると、男が次の一歩を踏み出すのを待たず、背中に強烈な肘鉄を食らわせた。

　相当威力があったのか男の背が大きくしなり、口から泡を飛ばしてその場に倒れ込む。すかさず百瀬はうつ伏せに倒れた男の首を膝で押さえつけ、相手の腕を背中に回して手首をひねり上げた。関節を極《き》められ、男の悲痛な声が園内に響く。

　その光景を、和希は少し離れた場所で目を丸くして見ていた。

　それはまるで、警察学校で習う逮捕術のお手本のようだった。授業でもあんなに鮮やかな前固めは見たことがない。あのまま男の手に百瀬が手錠をかけたとしてもまったく違和感はないだろう。

（そうか、あいつ警察学校に通ってたから……）

卒業こそしなかったが、百瀬もそこで逮捕術を学んだのだろう。体に染みついていたかのように百瀬の動きには淀みがなかった。

「サングラスが壊れたな」

男を押さえつけたまま百瀬が呟く。乱闘のさなかポケットから落ちて踏んでしまったのか、百瀬の側にはテンプルが真っ二つに折れたサングラスが転がっていた。

「おい、ここから先はお前の仕事だろうが」

素顔を晒《さら》した百瀬が肩越しに和希を振り返る。高校時代の百瀬に声をかけられた気分になって我に返った和希は、百瀬に代わって男を取り押さえながら、つくづく思った。

（……やっぱり俺、こいつと一緒にデカになりたかった）

そんな和希の思いをよそに、先に立ち上がった百瀬は興味を失ったように新しい煙草に火をつけ、もう和希に手を貸そうともしなかった。


遅れて駆けつけた園の警備員にひったくり犯を引き渡すと、和希は自身の名も名乗れないまま百瀬に首根っこを掴まれ車に押し込まれた。百瀬こそ警察に追われる身なのであまり目立ちたくなかったのだろう。

遊園地を出た後、百瀬は行き先も告げずに車を走らせ続けた。途中、森林公園で車を停めた百瀬に飲み物を買ってくるよう言いつけられて車を降りた以外は、休憩もなしだ。

南へ向かう車はやがて海沿いの道に出て、期せずして夕日に染まる美しい海を眺めた。途中、座りっぱなしで尻が痛い、と和希が文句を言うと、百瀬は思いがけずコテージ風のレストランに立ち寄ってくれ、そこで軽く夕食も済ませた。

百瀬の言葉ではないが本当にデートのようなコースを巡ってすっかり夜が更ける頃、最後に百瀬がやってきたのは埠頭《ふとう》に並んだ倉庫の前だった。

外灯もなければ照明もなく、立ち働く人の気配もまるでないその場所で車を停めると、百瀬はエンジンをかけたまま車のライトを落とした。

車内が闇に満たされる。エンジン音の向こうに微かな波音が響くものの、海の向こうに点々と街の光が見えるばかりで波の形を目で捉《とら》えることはできない。

一日中百瀬に引っ張り回された和希はいい加減疲れ果てて、助手席のシートに背中を押しつけ横目で百瀬を睨んだ。

「そんで、今度はなんだよ。また飲み物買ってこいとか言うんじゃないだろうな？」

自分を無意味に連れ回す百瀬の意図がわからず多少苛立った声を上げると、暗がりの向こうで百瀬が低く笑った。

「いや、まさか本当にお前が誰にも報告せず俺に会いに来たとは思えなくてな」

「お前……まだそれ疑ってたのか？」

「言っただろう。疑いすぎるくらい疑ってちょうどいいって」

悪びれもせず言い放たれ、和希は本気で脱力する。

「……丸一日かけて、俺の後をつけてる奴がいないか確認してたのか」

「まあ、そんなところだな。署内でも目立った騒ぎはなさそうだし、お前ひとりでここに来たのは間違いなさそうだ」

「署内の様子までチェックしてたのかよ……。お前に情報流してる奴って誰だ？」

「そういうふうにさらっと訊かれると、うっかり口を滑らせそうだな」

声に笑いを含ませているものの、間違っても百瀬が内通者を明かすことはなさそうだ。和希が溜息をつくと、闇の中で百瀬がこちらを向く気配があった。

「もしここでパトカーの音でも響いてきたら、車で海に突っ込むつもりだったんだが」

「……そんなことしたらお前まで一緒に海の底だろうが」

「俺はコートの下に救命胴衣を着てる」

思わず和希も百瀬を見る。そういえばここに来る前に寄ったレストランで、帰り際に百瀬はトイレに立った。戻ってくるまでに少し時間がかかったような気はしていたが、まさかそのとき救命胴衣を着込んだとでも言うのか。目を凝らしてみても互いの顔の輪郭すら曖昧なこの暗がりの中では確かめようがない。

「お前の口は封じられるし、俺も死んだことになって一石二鳥だ。試してみるか？」

和希の視線の行方を悟ったかのように百瀬が囁く。声は笑っているが冗談には聞こえず、和希は闇の中でもわかるよう大きく首を横に振った。百瀬と違って自分は救命胴衣などないのだ。車ごと真冬の海に突っ込めば、かなりの確率で溺《おぼ》れ死ぬ。

警察内で唯一自身の身元を知っている和希を殺したいと明言している百瀬だ。首の痣もまだ消えない。鏡を見るたび自分に向けられた殺意の強さを思い知らされ、だから冗談でも頷くことなどできなかった。

「五日後、バイヤーの代理人に会う予定だ」

ワイシャツの襟の上から和希がそろりと痣に触れたとき、金属音と共に車内に橙《だいだい》色《いろ》の光が灯《とも》った。いつの間に煙草を咥《くわ》えていたのか、百瀬がライターで煙草に火をつけている。ジリ、と紙の焼ける音がして、車内に薄紫の煙が広がった。

「バイヤーって、薬のか」

「そうだ。新規の業者でな、うちと取引をするのは初めてだから警戒してるんだろう。うちの社長と代理人がまず顔合わせをして、それからバイヤー本人が日本に来るそうだ」

肺の奥まで深く吸い込んだ煙と共に、百瀬は鬼頭と代理人が面会するホテルの名前を告げた。ご丁寧に時間まで教えてくれる。

「様子を見たけりゃ見に来い。その代わり、間違ってもサツだなんてばれないようにな。代理人に不信感を抱かせたら取引自体なくなっちまうぞ」

「う、わ、わかった」

「とりあえず、今教えられるのはこんなもんだ」

どうだ、と百瀬が咥え煙草でこちらを向く。

「俺のことが信じられそうか？」

煙草の火があるおかげで、先程よりはっきりと百瀬の目元が見えた。窓の外に広がる夜の海のように、凪《な》いではいるが底の知れないその目を見返して和希は眉根を寄せる。

「最初から信じてる。そうでなければひとりでこんなところまで来るわけないだろ」

今さらそれを訊くのかとばかり言い返した和希に、百瀬は軽く目を眇《すが》めた。

「随分簡単に人を信用するんだな」

「お前みたいに疑いまくるよりはマシだ」

真顔で言い返した和希に、確かにな、と低く笑って百瀬は窓の外を指差した。

「とりあえず、信じてもらえたなら何よりだ。もうここで降りていいぞ」

「……はっ⁉　おま……こんなわけのわからない場所で人を降ろすつもりかよ！　駅前とか、せめてタクシーの拾えるところまで送っていけ！」

「タクシーに乗って追いかけてこられたら面倒だ」

「どんだけ疑り深いんだよ！　人間不信か！」

「ああ、人間なんて腹の底では何を考えてるかわかったもんじゃない。とにかく降りろ」

声のトーンこそ変えなかったが、百瀬の言葉には有無を言わせぬ迫力があった。和希が絶句してしまうと車内に漂う無言の圧力がミシミシと和希を押し潰し、結局和希はすごすごと車から降りた。後ろ手でドアを閉めると、振り返る間もなく車が発進する。

夜の埠頭を走り去る車を見送って、和希はその場にしゃがみ込んでしまった。

学生の頃とは別人と化した百瀬に一日つき合っただけでも十分疲弊したというのに、最後の最後でこんな場所に置き去りにされるなんて。

「……っ」

大きく息を吸い込んで百瀬への悪態をついてみようとしたがその気力もなく、和希はひとりぼっちの埠頭でがっくりと肩を落としたのだった。

百瀬に教えられた情報が本物だとわかったのは、それから一週間後のことだった。

表向きは鬼頭組の麻薬取引捜査に参加している体で内通者探しを行うことになった和希と芝浦は、その捜査会議で鬼頭がバイヤーの代理人と密会したという報告を受けた。

場所も時間も百瀬の言葉と違《たが》わず、当日は当番で現場に行く暇がなかった和希は内心胸を撫で下ろした。散々自分を疑ってきた百瀬だが、最後の最後に本当の情報を流してくれたということは、一応こちらのことも信じてくれたのだろう。

（まあ、最後はとんでもない場所に置いてかれたけどな）

会議を終え、ぶすっとした表情で自分の席に向かいながら和希は思う。

埠頭に取り残された後、土地勘もない和希はタクシーが拾える大通りに出るまで小一時間近くかかったのだ。徹夜明けにもかかわらず寒風吹き荒《すさ》ぶ海沿いの道をさまよい歩かされた恨みは、そう簡単に消えそうもない。

席に戻ると、隣の席ですでに芝浦が新聞を広げていた。

ここにもひとり厄介な人がいた、と人知れず溜息をつき、和希は芝浦に耳打ちする。

「芝浦さん、会議中も新聞読んでたでしょう。駄目ですよ、いくら俺たち今回の件から外されてるからってそう大っぴらに新聞広げてたら……」

「別に捜査から外されてなくても、俺はつまんねぇ会議のときは新聞読んでるぞ」

威張って言うことか、とげんなりする和希の横で芝浦は悠々と新聞をめくる。

「お前もちったあ新聞読めよ。こないだなんていい記事出てたぞ。最近出所した十和田《とわだ》組の組長が新聞記者のインタビューに答えててな、ヤクザの行く末について語ってたんだが、警察関係者にとっちゃこれがなかなか考えさせられる内容で……」

はいはい、と適当に芝浦の言葉を聞き流して和希が書類作業を始めてしまうと、芝浦は面白くなさそうに鼻を鳴らしてぼそりと呟いた。

「お前は休みの日まで遊園地でひったくりなんぞ捕まえて、随分仕事熱心だな」

書類にペンを走らせていた和希はぴたりと手を止め、勢いよく芝浦を振り返る。芝浦は新聞に目を落としたまま、口元にニヤニヤとした笑みを浮かべていた。

「な、なんで芝浦さんがそんなこと知ってんですか！」

遊園地では警備員に刑事だと告げたくらいで詳しい身元は明かさなかったはずなのに。

芝浦は新聞から視線を上げると、動揺する和希を見て面白そうに笑った。

「俺もいろんな所轄を転々としてるからな、結構顔が広いんだよ。ついこの間も昔の知り合いから、チャラチャラしたホストみたいな派手顔の刑事が遊園地でひったくり犯を捕まえたって聞いてな、もしかしたらと思ってたら、ビンゴか」

そこまで言われてようやく鎌をかけられたことを悟り、和希は口を真一文字に引き結ぶ。仕事はろくにしないくせに、どうでもいい情報だけはやたらとマメに拾ってくるものだ。

下手に喋って墓穴を掘らぬようそそくさと書類作業に戻ろうとした和希だが、ふと思いついてもう一度芝浦に顔を向けた。

「海より広い情報網をお持ちの芝浦さんにひとつ聞きたいことがあるんですが」

「おう、なんでも聞け」

「十年くらい前、だと思うんですけど……本店にいる百瀬って刑事が自殺したって話、聞いたことありませんか？」

百瀬と再会して以来、ずっと百瀬がヤクザになった経緯が気になっていた。だが本人に面と向かってそれを尋ねることは難しく、ならば自分で調べようと軽い気持ちで尋ねてみたのだが、途端に新聞を眺めていた芝浦の目つきが険しくなった。

たじろぐほどの鋭い眼光で「百瀬？」と繰り返す芝浦にうろたえつつ、和希は頷く。

芝浦は鼻の頭に皺を寄せると、無言で新聞をたたみ始めた。肩を縮めて返答を待つ和希に向き直ると、膝に手を当て、前かがみになって声を低くする。

「前にお前にも話してやったことがあっただろう。本店のお偉いさんで、暴力団と癒着して失脚したのがいるって」

頷いてから、和希は俄かに表情を強張らせる。芝浦も渋い顔で何度か首を縦に振った。

「そいつの名前が、百瀬だ。押収した薬を他の組に横流ししてたのがばれて懲戒免職食らって、そのすぐ後に銃で自分の頭撃ち抜いて自殺した」

壮絶な最期に和希は息を呑む。そんな和希を見て、芝浦は眉を互い違いにした。

「しかしまた、どうしてそんな話を振ってきた？　何か今回のヤマと関係あんのか？」

「え、いや、それは——……」

うかつにも言い訳ひとつ考えておらず和希はしどろもどろになる。ごまかすつもりであさっての方を向く和希を眺め、芝浦はフン、と鼻を鳴らした。

「別に無理に話せなんて言ってねぇよ。お前にはお前の情報網ってのがあるんだろ。そんぐらいなかったらうちの課でなんてやってけねぇからな」

くるりと椅子を回して和希に横顔を向けると、芝浦はついでのようにつけ足した。

「死んだ百瀬って奴が薬を横流ししてたのは豊岡傘下の小さい組だ。事件のことが明るみに出てその組はもう解体されてるがな。でも、本当は百瀬と繋がってたのは鬼頭組だったんじゃないかって疑いも最後まで残ってたらしいぞ」

思いがけず飛び出した鬼頭組の名に和希は大きく目を見開く。勢い身を乗り出した和希を手で制し、単なる噂だ、と芝浦は素っ気なく言い放った。

「豊岡の組長が孫可愛《かわい》さに何か手を回したんじゃねぇかってうちでも散々叩いたんだが、結局証拠が出なかった。これに関しては鬼頭組の連中も口が固い。噂は噂のまんまだ」

芝浦の言葉に大人しく口を噤む一方、和希は頭の中で目まぐるしく情報を整理する。

百瀬の父親が麻薬の横流しをしていた相手が、本当に鬼頭組だったとしたら。

(……もしかして百瀬もそのことを知って、それで鬼頭組に潜《もぐ》り込んだんじゃ?)

本当に父親が鬼頭組に麻薬を横流ししていたのか確かめようとしたのかもしれない。だとしたら、自分も鬼頭組を潰したいのだと言った百瀬の言葉にも俄然信憑性《しんぴょうせい》が湧いてくる。

これまで疑問に思っていたことがようやく納得のいく場所に落ち着いて、和希の心臓がざわざわと騒ぎ始めた。自分の考えが正しければ、百瀬はただ諾々《だくだく》とヤクザに落ちたわけではなく、そこには明確な意思がある。

(しばらく会わない間にすっかり別人みたいになったと思ってたけど……もしかすると百瀬

の本質は、あの頃から変わってないんじゃないか——……？）

刑事になるんだ、と笑った百瀬の顔が蘇り、和希が強く胸元を押さえたときだった。

「見たところ、所轄の皆さんは随分暇を持て余しているようですね」

背後から、耳に馴染《なじ》みのない冷ややかな声が響いてきた。振り返ればいつからそこにいたものか、本庁から応援にきている速水が脇に分厚いファイルを抱えて立っている。

片手で眼鏡のブリッジを押し上げた速水は、つかつかと和希の席に歩み寄ると机の上にドカリとファイルを放り投げた。

「事件と関係のないことを喋っている暇があったら資料の整理でもしてもらえませんか」

「え？　いや、まったく無関係ってわけじゃ……」

つい反論してしまってから和希は慌てて口を閉じる。どちらかといえば今の話は鬼頭組の麻薬取引とは無関係ということにしておいた方がよさそうだ。

速水は黙り込んだ和希を見下ろすと、素早く周囲に視線を走らせ声を落とした。

「自分たちがどんな仕事を割り当てられているのかきちんと理解しているんでしょうね？　貴方《あなた》たちが嗅ぎ回るのは同じ署内の人間です。余計なことに時間は割かないように」

どうやら速水は早いところ内通者を探し出せと催促をしに来たらしい。その不遜《ふそん》な物言いにムッとしたのは和希だけで、芝浦は眠た気な顔で早々に速水から顔を背けてしまう。

反抗的な態度の二人に速水は片方の眉を吊り上げたものの、話は済んだとばかり踵を返す。

それを黙って見送るのも業腹で、和希は棘の立った声をその背にぶつけた。

「余計なことついでにひとつ忠告させてもらいますけどね、外で行動するときは二人一組が原則ですよ。ひとりで尾行なんてしてたら相手を見失うことだってあるでしょう」

以前速水が百瀬の後をつけていたことを当てこすってやると、その場を立ち去りかけていた速水の足が止まった。肩越しに振り返るその顔に表情はない。

しばらく無言で和希を見下ろしてから、速水は低い声で答えた。

「……言われるまでもなく、外に出るときは二人一組ですよ」

「そうですかぁ？　確かひとりで尾行してたことありましたよね？」

すっかり喧嘩腰になった和希は、以前街中で速水を見かけた日時と場所まで丁寧に言ってやる。対して速水は無表情のまま眼鏡を押し上げ、抑揚少なくこう返した。

「その日は終日本庁にいたはずです。何か見間違いでもしたのでは？」

「いや、でもあのとき確かに——……」

「記憶違いです」

ぴしゃりと言ってのけ、これ以上の問答は無用だとばかり速水は和希に背を向ける。

その背中を見送って、和希は口元にフッと笑みを浮かべた。

（あいつ、百瀬の尾行に失敗したもんだからごまかしてるんだな）

本店の連中はプライドが高いから面倒くさい、と多少気をよくした和希だったが、すぐに

速水が置いていった分厚いファイルの存在を思い出し、余計な仕事を増やされた疲労感に押し潰されて、力なく机に倒れ込んだのだった。


速水には内通者探しを進めろとせっつかれたが、実際できることなどたかが知れている。さりとてまったく動かなければ課長の不興を買いかねず、どうしたものかと考え込む和希に「聞き込みすりゃあいいだろう」と芝浦が言い放ったのはすっかり日も沈んだ頃だった。

「署内で聞き込みなんてしてたら内通者本人の耳にも入っちゃいますよ」

「ばぁか、誰がこんなところで聞き込みしろなんて言った」

呆れ顔で立ち上がった芝浦は、そのままふらりと夜の繁華街へと出ていってしまう。

「署内で内通者が探せないなら、逆サイドから攻めるしかねぇだろ」

つまり芝浦はヤクザ相手に聞き込みをするつもりらしい。

街を歩けば、結構な数の人間が芝浦に目配せしたり頭を下げたりしてくる。ほとんどが暴力団の構成員たちだ。相変わらず芝浦は顔が広い。

どう見ても警察に協力などしそうもないパンチパーマの厳つい男でさえ、芝浦の顔を見るなり眉尻を下げて逃げを打つ。それを宥めすかして情報を聞き出す芝浦を眺め、これは芝浦だからこそできる芸当だな、と和希は感心する。その技を少しでも盗もうと少し離れた場所からそのやり取りを観察していると、後ろから誰かがそっと袖を引いてきた。

客引きかと邪険に追い払おうとした和希だが、振り返った先で所在なさ気に立っていたのはまだ二十歳《はたち》そこそこの青年だ。つい先日顔見知りになったばかりの構成員だが、組では下っ端として日々雑用を押しつけられているらしく、会うたび泣き言ばかり漏らしている。ならばもういっそ田舎に帰ったらどうだと密かに和希が説得している人物だ。

更生させようとしていることがばれたらまた芝浦に叱られると、和希は慌てて相手をキャバクラの看板裏に引き込んだ。いきなり街中で袖を引いてくるくらいだから相談事でもあるのだろうと用向きを尋ねると、相手はなぜか困惑顔でがりがりと後ろ頭を掻いた。

「実は、日吉さんにちょっとお話がありまして……場所とってあるんで、一緒に来てもらえませんか？」

「場所って……その辺の喫茶店とかじゃないのか？」

相手はやはり弱った顔で、ええ、ちょっと、などと言葉を濁す。どうしたものかと看板裏から顔を覗かせると、和希の動きなどとっくに気づいていたらしい芝浦が軽く顎をしゃくってきた。行っていい、ということだろう。

ありがたく頭を下げると、あまり入れ込むなよとばかりしかめっ面をされてしまった。大抵のことは芝浦にはお見通しらしい。

若い構成員は和希の前に立ち、こっちです、と歩き出す。

前を行く青年が所属しているのは武藤組だ。鬼頭組と同じく豊岡傘下の組で、組長の武藤猛《たけし》は豊岡組長の甥《おい》に当たる。

武藤の父は豊岡組長の弟だが、跡目争いのいざこざを避けるため自ら豊岡組から分家したと聞いている。武藤が父の後を継ぎ組長に就任したのは三年ほど前のことで、しばらくは父親同様手堅い運営をしていたそうだが、ここ最近は少し風向きが変わっている。いささか強引なやり方で一般人から金を巻き上げるようになり、先日も暴行と恐喝の疑いで幹部が数名逮捕されていたはずだ。

春に所轄に配属されてから頭に叩き込んだ知識を反芻しながら歩いていると、先導していた男がぴたりと足を止めた。ここです、と男が指し示した店を見て、和希は目を丸くする。てっきり安い居酒屋でも予約したのかと思いきや、連れてこられたのは高級そうな料亭だ。

本当にここか、と目顔で確認していると、店の奥から和服姿の店員が現れた。

「日吉様ですね。お連れ様が中でお待ちです」

笑顔で奥へと促され、戸惑いながら和希も足を進める。ここまで和希を連れてきた青年は単に道案内を命じられただけらしく店には入らず、振り返った和希にぴょこんと頭を下げるとそのまま夜の街に消えていってしまった。

迷ったのは一瞬で、和希は腹を括《くく》って店内に入った。

辺りに視線を配りながら廊下を歩けば、左右に並ぶ障子の向こうから低いさざめきのような笑い声が聞こえてくる。なかなか繁盛している店らしい。店内も広く清潔だ。物珍しく辺りを見回していると、長い廊下を何度か曲がったところでようやく店員が足を止めた。

通された座敷には、料理が並んだテーブルの前でひとり銚子《ちょうし》を傾ける男が待ち受けていた。筋肉質な体に濃い紫色のスーツを着た男は、和希に向かって軽く会釈をしてみせる。

「突然およびたてして申し訳ない。私、武藤組の菅原《すがわら》というもんです」

親子ほども年が違うだろうに、警察官と暴力団員という立場をわきまえてか、菅原は年若い和希に対しても横柄な態度をとらなかった。

どうぞ、と向かいの席を勧められ、困惑しつつ和希も座布団に腰を下ろす。幸い店はまともなようだし、座敷には菅原の他に誰もいない。差し迫った危険はなさそうだと判断しつつも差し出された猪口《ちょこ》は丁重に断り、和希は菅原の顔を見据えた。

「突然こんな場所に呼び出して、なんの用件だ」

相手が自分より年上だろうとなんだろうと、和希も立場上居丈高な口調をとる。菅原はそれに不愉快そうな素振りを見せるでもなく、手酌で酒をつぎながら微かに笑った。

「そう慌てなくても、料理もまだまだ来ますから」

「断る。仕事中だ」

「私らと飲むのも刑事さんの仕事でしょうよ」

喉の奥で笑って猪口を差し出してくる菅原に、けれど和希はニコリともしない。

趣味は悪いが一応スーツを着ていることと、テーブルに乗せた手に高級そうな腕時計を嵌めていることから、菅原が武藤組の幹部クラスだということくらいは見当がついた。だが、それ以外の状況はさっぱり摑めない。警戒が先だって一緒に笑う気にはなれなかった。

菅原は和希の固い態度に肩を竦めると、早々に話を切り出すことにしたようだ。猪口を置くとテーブルに片腕をついて身を乗り出してくる。

「刑事さん、最近サエキとつるんでるでしょう?」

前置きもなく切り出され、一瞬和希の息が止まる。驚きすぎて表情も動かなかった。それでも肌に走った動揺はしっかり伝わったようで、菅原は口元に太い指を当てて目を細めた。

「うちの組のもんが偶然見かけたらしいんですわ。うちもサエキのことはずっと追っかけてましてね。なんとも得体の知れない男で交友関係もろくにわからなかったんですが、粘ったかいがあったってもんです」

「……なんで身内を追っかけてんだ。同じ豊岡傘下だろう。サエキの素性が知りたいならどうして鬼頭に直接訊かない」

辛うじて和希が言葉を差し挟むと、菅原は芝居がかった仕草で顔の前で手を振った。

「訊いたって教えてくれるわけがないでしょう。サエキは金の卵を産むガチョウみたいなもんなんだから。サエキに関することは皆滅多に口にしませんよ」

菅原の言う通り、サエキこと百瀬が現れてから鬼頭組は麻薬で相当荒稼ぎをしているらしい。そんな百瀬を鬼頭が手放したがるわけはなく、周囲に百瀬の情報を漏らさぬようにしていても不思議ではなかった。

ならば百瀬の情報を少しでも仕入れるため自分を呼びつけたのかと思いきや、菅原は和希が予想もしていなかったことを言い出した。

「噂じゃあ、警察でもサエキを捕まえられないのは、警察に内通者がいるからだとか？」

またしても動揺が顔に浮かんでしまいそうになり、和希は慌てて部屋の隅へと視線を向ける。菅原はそんな和希の態度に低く笑って、噂ですよ、と言い添えた。

「でも、サエキに情報を流してる刑事さんが本当にいるなら、サエキとつるむのなんてやめて、是非うちと手を組んでほしいと思っとりまして。それでこうして、交渉にね」

一言一言区切るように喋る菅原に、和希は怪訝な眼差しを向ける。とっさには菅原が何を言わんとしているのかわからなかったが、日に焼けた顔に含み笑いを浮かべる菅原を見てようやく理解した。どうやら菅原は、サエキに警察内部の情報を流しているのは和希だと思っているようだ。

「違う、俺じゃない」

こういうとき、和希はああだこうだと言葉を費やさない。最小限の言葉できっぱりと否定したせいか菅原はいささか面食らった顔をしたが、すぐにおもねるような笑みを浮かべた。

「でも、刑事さん最近サエキと一緒にいたでしょう？」

「そうだったとしても、俺が所轄に配属されたのは今年の四月だ。サエキが鬼頭組に入ったのはそれよりずっと前だろう？　今年の頭はまだ交番勤務だった俺が、サエキに情報なんて流せるわけがない」

淀みなく言ってのける和希を前に、少しずつ菅原の顔から笑みが消える。

「……誰かから内通者の役を引き継いだってことは？」

「誰かって、たとえば誰のことだ？」

「そりゃ、たとえば――……」

そこまで言って、生真面目に答えを待つ和希に気づいたのか菅原は口元に愛想のいい笑みを浮かべた。

「いや、すみません。こちらの勘違いだったようで」

「おい、今何か言いかけてなかったか？　心当たりがあるんじゃないだろうな？」

とんでもないとばかり首を振り、菅原は笑顔のまま、ただねぇ、と呟く。

「そういうことなら、サエキのことは早いとこ捕まえた方がいいですよ。なんであの男を泳がせてるんだか知りませんが、あいつは警察で飼い慣らせるような奴じゃない」

「……何かサエキのことについて知ってるのか？」

含みを持たせた言い方に和希が眉根を寄せると、菅原は猪口に酒をつぎ薄く笑った。

「大したことじゃないんですけどね。最近鬼頭さんとサエキは、ちょっとばかり折り合いが悪いなんて話を聞きまして」

まぁこれも噂です、と言い置いて、菅原は口をつけた猪口の縁から和希を見遣り、目元に微かな笑みを浮かべた。

「サエキは鬼頭組を潰して、自分で新しい組を作るつもりらしいですよ、刑事さん」


菅原と別れ料亭を出た和希の足取りは、隠しようもなく重かった。

菅原の言い分を鵜《う》呑《の》みにするのも危険だとは思うが、一度耳にした言葉をすぐに忘れてしまうこともできない。

けばけばしい電飾が施された看板が並ぶ通りを俯き加減で歩き、和希はコートの前をかき合わせる。

百瀬が鬼頭組を潰そうとしているのは、てっきり父親の仇《かたき》を討つためだと思っていた。ならばたとえ今は暴力団の構成員だろうと、百瀬の本質は昔と変わっていないのではないかとほのかな希望すら抱きかけていたのだが。

（自分の組を新しく作ろうとしてるって、本気かよ……）

まだそれが事実と決まったわけではないのだが、昔の百瀬が戻ってきたと思った矢先だっただけに落胆は大きい。自然と和希の視線は足元にばかり落ちてしまう。

やはり一度、百瀬本人にヤクザになった理由を尋ねるべきだと改めて和希は思う。人から聞いた話では、何をどこまで信じていいのか判断がつかない。

次に百瀬と会う約束をしているのは取引の一週間前。取引前に会うのはそれが最後になる。そのときこそ百瀬から過去の話を聞き出そうと心に決めた和希は、足元が妙に暗いことに気づいて顔を上げた。

長いこと考え事をしながら俯いて歩いていたせいか、いつの間にか袋小路に迷い込んでいた。ビルとビルに挟まれた狭い通路は前方をさらにビルの壁でふさがれ、これ以上先に進むことができない。先程まで街路を眩《まぶ》しいほどに照らしていた飲食店の看板は途切れ、喧騒も遠ざかった場所で和希は深い溜息をついた。これは引き返すしかなさそうだ。

すっかり周りの状況が見えなくなっている自分の頭を軽く小突いて踵を返した和希は、道の向こうから二人組の男が近づいてくるのに気づいて足を止めた。

男たちがいる場所から和希の立っている場所までは真っ直ぐな一本道だ。この道が行き止まりであることくらい男たちもわかっているだろうに、彼らは足を止めようとしない。無言で和希に近づいてくる。

和希は男たちに顔を向けたまま辺りに視線を走らせる。どこをどう見ても道は行き止まりで、どこかに逃げ込む隙間もない。男たちは二人共和希とそう年は変わらないようで、ジーンズにブルゾンという軽装だ。ただ、二人の目は確実に和希を捉えており、どちらの表情も不穏なことこの上ない。

表情だけは平静を装い、武藤組の連中だろうか、と和希は目まぐるしく考える。サエキの内通者ではなかった自分に余計な情報を漏らしてしまったと菅原がけしかけてきたのか。もしくはやはり和希が内通者ではないかと疑って、力業で口を開かせるつもりか。男たちは和希まであと数歩というところまで迫っている。どちらにせよ、大人しく待っていても事態は好転しないようだ。

判断するが早いか、和希は力強く地面を蹴って男たちに向かい走り出していた。

狭い通路で肩先を重ね合わせるように歩く男たちの間を強行突破するのは不可能だと悟った和希は、向かって右側にいた男の胸に肩からタックルを食らわせる。

和希の突然の行動に不意を突かれたのか男の体がぐらついて、二人の間にわずかな隙間ができた。その間を一気に駆け抜けようとした和希だったが、もう一方の男が動き出すのも早い。後ろから腕を摑まれ力任せに引き寄せられる。当然和希も抵抗するが、反対側から和希に突き飛ばされた男が猛然と後ろ髪を摑んできて、大きく上体が仰け反った。

荒々しく髪を摑まれ、頭皮が引きつれる痛みに和希は顔をしかめる。振りほどこうとするが片腕を摑まれているため動きが重く、強引に腕を引いたら拳が飛んできた。横腹に鈍い痛みが走り体を前のめりにすると、今度は背中に力一杯肘を振り下ろされる。背骨が撓《たわ》むほどの力によろければ続けざまに膝裏を蹴られ、抗いようもなく地面に倒れ込んだ。

その後の男たちは容赦がなかった。脅しの言葉ひとつ吐かずに無言で和希を蹴り上げ、踏みつけ、固い踵《かかと》を打ちつける。和希は必死で頭を庇《かば》うが、腕の上から執拗《しつよう》に顎やこめかみを蹴り上げられてさすがに意識が遠くなった。

　時間にすれば、ほんの数分のことだっただろうか。

　抵抗どころか腕で頭を守ることさえできず、意識の朦朧《もうろう》とした和希が口から血の混じった泡を吐く頃、ようやく男たちは暴行をやめて和希の傍らにしゃがみ込んだ。

「こんだけやればもう……」「連れてくか」と男たちは短い言葉を交わす。脇の下に腕を差し込まれ、薄れていく意識の下でも強い危機感を覚えた和希は最後の抵抗を試みる。だがそれも駄目押しのように振り下ろされた鉄拳で意味を失い、和希は力なく首を前に倒した。

　体が地面から離れる。さすがに奥歯に震えが走った。これからどこへ連れていかれ、何をされるのか、想像するだけで胃の腑《ふ》の底が寒くなる。

　男たちに両脇から体を持ち上げられ、靴の先が地面を擦った、そのとき。

「お前ら、現職の刑事に手を出すなんて命知らずな真似よくできるな?」

　よく通る低い声が狭い通路に響き、和希は閉じていた目をうっすらと開けた。

　両脇から和希の体を支える男たちの腕に動揺が走る。わずかではあるが拘束が緩み、和希は痛む体に鞭《むち》打って声のした方に顔を向けた。

「そんなことしたら、これ幸いとばかりサツの連中がガサかけにくるぞ。お前らの自宅はもちろん、他の社員の家だの事務所だの、下手したら社長の自宅まで」

　細い一本道の向こうに立っていたのは百瀬だ。いつものように顔半分を隠す大きなサングラスをかけた百瀬は、落ち着いた足取りで和希たちに近づいてくる。

「奴らを組の中に入れる口実をみすみす作ってどうする。なんのために俺たちが明るい道では頭を下げて大人しくしてると思ってんだ？」

「いえ、これは、社長の指示で……」

和希の左腕を捉えていた男が困惑気味の声を上げると、百瀬はわかっていると頷いた。

「でもな、社長はそいつを連れてこいと言っただけだろう？」

「それは、そうですが……」

「そんだけ傷だらけにしちまったら傷害罪に加えて公務執行妨害までつけられる。その上無理やり車に押し込めば拉致監禁罪のおまけつきだ」

百瀬の言葉に、男たちは明らかにうろたえている。和希の体を支えるのも忘れたのか二人の手から力が抜け、支えを失った和希は再び膝から地面に倒れ込んだ。

「その状況でそいつを組に連れ帰るのはやめておけ。社長には俺から説明しておく」

最後に百瀬がそう言うと、逡巡《しゅんじゅん》混じりの沈黙の後、足早に二つの靴音はその場を去った。

地面にうつ伏せで崩れ落ちたまま、身動きすらできずにいた和希の傍らに百瀬が膝をつき、無言で腹の下に腕を差し入れてきた。しこたま蹴られたみぞおちに負荷がかかり低くえずいた和希には構わず、百瀬は荷物でも担ぐようなぞんざいさで和希を肩に担ぎ上げる。

百瀬の肩の上で手足をぶらぶらと揺らしながら、和希は低く呟いた。

「……なんだ、今の奴ら」

百瀬は歩きながら、起きてたのか、と普段の調子で返して和希を担ぎ直した。

「うちの連中だ。手荒な真似して悪かったな」

「なんで俺、さらわれかけた……？」

「社長が先走った。少しお前に聞きたい話があったそうだ」

先程から百瀬が口にしている社長というのは、恐らく鬼頭のことだろう。暴力団の関係者は、外ではそんな隠語を使って自分たちの素性を隠そうとする。

突然の暴行に見舞われた衝撃から少しばかり立ち直り、和希はわずかに首を上げた。

「お前んとこの社長が、俺になんの用だよ」

「俺も直接は聞いてないが、十中八九武藤の連中と同じ用件だろうよ」

ようやく狭い通路を抜けて車道に出た百瀬は、路肩に停めていた車のドアを開けて助手席に和希を放り込む。あまり優しくない扱いに眉を寄せ、和希は百瀬を睨み上げた。

「お前、さっきまで俺がどこで何してたのか、知ってるのか……？」

百瀬は車のドアに片手を置き、無言で唇の端に笑みを乗せる。言葉より雄弁な肯定に和希は力なく目を閉じた。どうやら百瀬は自分と会っているときのみならず、離れている間もこちらの行動を監視しているらしい。しかしおかげで今回は連れ去られずに済んだのだから、とやかく言う気にはとてもなれない。

助手席のドアを閉め運転席に乗り込んだ百瀬に、和希は気だるく顔を向けた。

「この前お前と一緒にいたの、武藤の連中が見てたらしいぞ。武藤の幹部は、お前に警察の内部情報を流してるのは俺なんじゃないかって疑ってるみたいだった」

「そうか、やっぱりサングラスなしで外をうろついたのは軽率だったな」

和希と会うときはほとんどサングラスを外さない百瀬だが、組の中では素顔を晒していることの方が多いということだろうか。

「あと、お前に情報を流すくらいなら、うちと組まないかって持ちかけられた」

車を発進させながら、そうだろうな、と百瀬が平然と頷くものだから、和希は思い切り顔をしかめた。

「お前、自分で言ったこと覚えてんのか？　お前のところの社長も同じ用件だって……」

「そうだ。もう随分前から社長も内通者を探してる。俺がなかなか口を割らないもんだから、いよいよ強硬手段に出たんだろうよ」

どこに向かっているのか知らないが迷いなくハンドルを切る百瀬をしばし見詰め、和希は先程の二人組に蹴られたせいばかりでなく痛むこめかみを指先で押さえた。

「……待て、どういうことだ、それ」

「警察の情報を流してくれる内通者さえいれば、俺がいなくても問題ないってことだ」

「待て待て、だってそれじゃまるで、お前のこと切り捨てようとしてるとしか……」

対向車のライトが真正面から百瀬の顔を照らし出す。

百瀬の唇には薄い笑みが浮いているが、その口から和希の疑念を否定する言葉は出ない。

和希は散々体を痛めつけられているのも忘れ運転席に身を乗り出した。

「待てよ！　なんでそんなことになってんだ！」

声を荒らげると肋骨《ろっこつ》や背骨がミシミシと痛んだ。無理するな、と笑ってはぐらかそうとする百瀬を許さず強い視線を向ければ、観念したのか百瀬は溜息で口元に浮かんでいた笑みを吹き飛ばした。

「豊岡の社長が、最近うちを偉く評価してくれてる。だが、どうも評価の対象はうちの社長じゃなく、俺らしい」

ごく簡潔な説明ではあったが、それだけで大方の状況は十分摑めた。

祖父である豊岡組長が自分でなく赤の他人を評価したとなれば、当然鬼頭は面白くないだろう。そもそも百瀬が手堅く麻薬を売りさばいているのは警察の関係者から情報を得ているからで、ならばその内通者さえ味方につければ、もう百瀬に祖父の評価を奪われることもない。鬼頭はそう考えたらしい。

理解した途端眩暈《めまい》に襲われ、和希はシートに力なく凭れかかった。

てっきり百瀬は、鬼頭組を豊岡傘下筆頭の稼ぎ頭にした立役者として重宝されているかと思っていたのに。実際は実に危うい立場であることを知り、自分のことでもないのに体から血の気が引いた。つい先ほど連中の容赦のなさを嫌と言うほど味わわされた直後なだけに、いつか百瀬も同じ目に遭うのではないかと思うと背筋にぞっと震えが走る。

「お前……そんな状況でよく鬼頭のところにいられるな……」

「他に行き場がないんだから仕方がないだろう」

言葉とは裏腹に、百瀬の声に悲愴《ひそう》さは感じられない。口には笑みすら浮かんでいる。それでもやはり、和希の胸を覆う懸念は晴れない。

「……今からでも、組を抜けることはできないのか？」

無駄だと知りつつ尋ねずにはいられなかった。案の定、百瀬は言下に「無理だな」と言い放つ。それでも和希が食い下がろうとすると、わずかに顔を和希の方に向けた。

「前にも言っただろう。組を抜けたらお前、俺の愛人になるか？」

真面目な話をしていたはずなのに、またもふざけた返答ではぐらかされた。カッときて声を荒らげようとしたが大きく息を吸っただけで脇腹がひどく痛み、呻き声しか上がらない。

大人しくしてろ、と再び前を向いた百瀬に、和希は苦痛を押し殺して言う。

「お前……なんでそういうことばっかり言うんだ？　こっちは本気で言ってるのに、愛人だのなんだのはぐらかしやがって……」

痛みを堪えて語りかけても当の本人が真面目に取り合わず、和希は力なく視線を落とした。自覚していなかったがよほど不貞腐《ふてくさ》れた顔でもしていたのか、不敵な笑みばかり浮かべる百瀬が珍しく苦笑を漏らした。

「別に愛人である必要もないんだけどな。ただ、学生の頃みたいに何か夢中になれるものが欲しい」

和希は伏せていた目を上げる。百瀬の口元には先程までと変わらず笑みが浮かんでいるが、目元をサングラスで隠しているためそこに漂う感情までは読み取れない。

鼻の高い、彫像のように整った百瀬の横顔を眺め、学生時代に百瀬が夢中になっていたものはなんだったのだろうと和希は思う。特に部活には入っておらず、必死で勉強をしているふうでもなかった百瀬がいつも昼休みに語っていたのは。

（……刑事になること）

一瞬で、頭上に広がる青空が記憶の底から呼び起される。

昼休みはいつも屋上で百瀬と過ごした。話す内容は警察にまつわることばかりで、百瀬はときどき焼きそばパンを頬張りながら採用試験の過去問を眺めていた。和希も横からそれを覗き、予想外の難問に青くなったりしたものだ。

百瀬と一緒にいるときはいつも時間が足りなかった。二人して、話すことと空想することに夢中だった。刑事になる。そう考えるだけで足元が浮き上がった。

「お前、俺にとってそういう存在になれるか？」

過去に思いを馳せていた和希を百瀬の声が呼び戻し、和希はゆっくりと瞬きをした。

学生の頃百瀬が夢中になっていたものに、自分がなり代われたら――。

一瞬、なれるものなら、と思ってしまった。愛人だろうとなんだろうと、それで百瀬が以前のように屈託なく笑ってくれるなら、それも構わないのではないかと。

真顔で和希が黙り込んでいたら、ふいに百瀬が小さく噴き出した。

「冗談だ。考え込むな」

そこまで言われてようやくからかわれていたことに気づいた和希は、我に返った顔で大きく肩を上下させ、乱暴な仕草で自分の額に拳を押しつけた。

「お前な……俺の体が万全だったら本気で殴ってるぞ！」

「手も出せないほど弱ってるのか。悪いとは思うが、助けてやった俺に免じて今回の件は上に報告しないでおいてもらえるか」

「お前に免じてかよ……」

目一杯不服さをにじませて呟いてみたものの、和希も今回の件を上司に報告するつもりはなかった。事態のあらましを説明しようとすれば百瀬の話は避けて通れない。鬼頭の麻薬取引の現場を抑えるまでは、後々どんな処分を受けることになっても百瀬のことは内密にしておこうとすでに和希は腹を括っている。

和希は黙って窓の外に目を向ける。どこを走っているのかと思えば、そこはもう和希の住む寮の近くだ。しばらく走ると車はゆっくり減速して、寮の入口から数メートル離れた場所で停車した。

言外に降りろと促されていることを察しながらも、和希はすぐ外へ出ようとしなかった。百瀬から顔を背けた格好で、ガラスに映る百瀬の横顔に目を凝らす。

「なぁ……もしかしてお前、親父さんの件でヤクザのこと恨んでるのか？」

和希は百瀬の表情の変化をつぶさに観察しながら慎重に口を開く。ハンドルに腕を乗せた百瀬の顔は動かない。しばらく待っても反応はなく、焦《じ》れて和希は言葉を連ねた。

「親父さんの話、少しだけど聞いた。豊岡傘下の小さい組と繋がってたって話だけど、本当は鬼頭組と関係してたなんて噂もあるんだろう？　だから親父さんの仇を討とうとして……それでお前、鬼頭組を潰そうとしてるんじゃないのか？」

そうであって欲しいと願いを込めて和希は尋ねる。言葉にして肯定できないならせめて頷いてくれと窓に映る百瀬の横顔を見詰め続けていると、百瀬がゆっくりと首を回してこちらを見た。

サングラスをしているため百瀬の目の動きははっきりとわからなかったが、窓ガラス越しに確かに視線が交差した気がして和希は小さく体を引く。

百瀬は無言のまま助手席に身を乗り出すと、和希の耳の後ろで低く囁いた。

「もしそうだとしても、ヤクザを恨むのはお門違いだろう」

耳朶《じだ》を低い声に撫でられて和希の息が引きつる。百瀬はさらに身を乗り出して、背中に広い胸が触れた。

背後から、薄く煙草の匂いが漂ってくる。これまでもラブホテルや観覧車の中で何度も感じてきた、百瀬の匂い。キスをしたり、唇を噛まれたり、頬を片手で包まれたり、そういうときばかり感じるそれに互いの近さを意識してしまい、緊張で体が熱くなった。

完全に息を止めた和希の背後から、百瀬の腕が伸びてくる。首筋に百瀬の息遣いを感じ、肌がざわつく。

息を殺して百瀬の腕の行方を見守る和希の前で、百瀬の手はするりと和希の傍らをすり抜け、助手席のドアノブへと伸びた。

「……恨むとしたら、ヤクザよりも警察だ」

吐息混じりの声で囁かれたと思ったら目の前で助手席のドアが開き、もう一方の手で百瀬が和希の背を軽く押してきた。

「もう行け。俺みたいなヤクザ者がこんな場所に長くいると心臓に悪い」

開け放たれたドアの向こうから、乾いた夜風が吹き込んでくる。頬を嬲《なぶ》る冷たい風で夢から覚めた気分になった和希は、後ろを振り返れないままぎくしゃくと車を降りた。

後ろ手でドアを閉めるとすぐに車は発進し、遠ざかるその音を聞くともなしに聞きながら、和希は手の甲で頬を押さえる。

路地裏で同じ場所を踏みつけられたせいだけではなく、ましてやエアコンの利いていた車内の暖かさのせいでもなくて、手の甲で触れた頬はやけに熱かった。その理由を考えると、車を降りる直前の百瀬の行動が何度も頭の中でリピートされる。

窓の方を向いた和希にゆっくりと百瀬が近づいてきて、背中に百瀬の胸が触れた。続けて後ろから腕を伸ばされたとき、自分は一体何を考えたのだろう。一瞬ではあったが、本気で百瀬に抱きしめられるとは思わなかったか。それで全身が硬直したのではなかったか。

けれど実際にはそうならず、直後胸に広がったあの空虚さは一体、なんだ。

夜風に晒されているというのに、まだ頬の熱は引かない。

百瀬本人には恐らくなんの思惑もなかったのだろう行為に滑稽《こっけい》なほど動揺した結果、百瀬の残した言葉の違和感に和希が気づいたのは大分時間が経ってからだ。

(……恨むとしたら、警察……?)

今さらのようにその意味を問おうと背後を振り返ったものの、当然百瀬の車はすでになく、明かりもまばらな警察寮が無言で和希を見下ろすばかりだった。


鬼頭組の麻薬取引まで十日を切ると、署内の空気がピリピリし始めた。

この頃になると所轄の中にも、今回の事件が一度は本庁で取り扱われたもので、自分たちはその尻拭いを押しつけられたのだと悟る者が現れ始める。そうなると俄然対抗意識が湧くものなのか「本店でしくじった事件を俺たちの手で片づける！」と張り切る者が続出し、それと比例して本庁から応援に来ている速水たちに対する所轄の態度は冷たくなった。

「それでも本店から来てるってだけで最低限の気は使ってもらえるからマシですよね」

捜査会議後、最後列の席に座っていた和希は頬杖をついて隣の芝浦に声をかけるが、芝浦は新聞を広げて気のない返事をするばかりだ。その間も、和希たちの前を同僚たちが無言で通り過ぎていく。もれなく冷淡な一瞥つきで。

一体どんな経緯でばれてしまったのかは知らないが、今や署内で和希たちが内通者探しをしていることは周知の事実と化している。同僚たちは口にこそ出さないが、和希たちを見る目は速水たちに対するそれより一層底冷えして容赦がない。

和希としては課長命令だから仕方がないと弁解したいところだが、誰ひとり面と向かって非難する者がいないだけに釈明の機会すら与えられず、立場は悪くなる一方だ。

「こんなの針のむしろですよ。ただでさえスパイみたいな真似して白い目で見られてるのに、表立って動けないからろくな仕事もできなくて……」

芝浦と夜の街での聞き込みは続けているが、今のところ成果はない。表向きは鬼頭組の麻薬取引事件を担当していることになっているのでこうして会議にも出席しているが、そちらの事件に関しては何ひとつ調べていないので毎回報告できることもない。その上会議の終わりにはこうして同僚たちから、どの面下げてここにいるんだ、とばかりに睨まれて、さすがに和希も首を竦めてしまう。

「俺たちに割り当てられたのはそういう仕事なんだから仕方ねぇだろ」

芝浦はきりのいいところまで新聞を読んでしまうつもりなのか、会議が終わってもすぐに部屋から出ていこうとはしない。もう会議室には課長と速水たち本庁の人間、それから数名の署員が残るばかりだ。悠然と新聞をめくる芝浦の隣で、そういうことしてるからますます皆の目が冷たくなるんですよ、と和希が一言物申そうとしたときだった。

「課長！　鬼頭組に動きがありました！」

息せき切って駆け込んできた署員の言葉に、室内の空気が一瞬で張り詰めた。

荒々しく音を立てて椅子を立った課長が詳細を問い質《ただ》す。一度は会議室を出た署員たちも慌てて舞い戻り、周囲が一気に活気づいて和希も思わず席を立った。

課長の周りにできた人垣の向こうから漏れ聞こえてきた声によると、今しがた鬼頭を乗せた車が空港に到着し、薬のバイヤーと面会を果たしたところだという。

警察が摑んでる取引の日はまだ一週間以上先だ。それなのにこんなにも早くバイヤーが来日するとはどういうことだと署員たちに動揺が走り、様々な憶測が室内を飛び交った。

取引の日が早まったのか、鬼頭が迎えに行った男がバイヤーでない可能性はないのか、バイヤーで間違いないなら、やはり取引の日が変わったのか。

メビウスの輪のように一転してはまた同じ場所に戻る推測を聞きながら和希も必死で考え

る。事前情報ではバイヤーが来日するのは取引前日か、早くとも二日前のはずだったのに。

「やはり取引の日が早まったとしか……」

「そもそもその取引の日自体、本当に間違いないんだろうな？」

室内に重苦しい空気が立ち込め始めた。和希はそれを吹き飛ばそうと考えを巡らせるが、辺りの空気は和希の思考すら呑み込んで悪い想像ばかりが鮮明になる。

百瀬は確かに取引の日は変えないと言ったが、あの言葉に嘘はなかったのだろうか。途中経過だけは正しい情報を流し、こちらが安心したところで取引の日を早めたという可能性は？　それより何より、前回の去り際百瀬はこう言っていなかったか。恨むとしたら、ヤクザよりも警察だと。

（じゃあ、警察官になった俺のことも――……？）

最早顔を上げていることもできずテーブルの一点を見詰めていると、突然膝の後ろを蹴られた。大した力ではなかったもののがくんと膝が曲がり驚いて隣を見ると、芝浦が新聞の縁から鋭い目つきで室内の様子を見ていた。

「何やってんだ、こういうときこそ周りをよく見ろ。内通者は当然鬼頭が今日バイヤーを迎えに行くことは知ってたんだ。他の奴らとは違う反応をしてるはずだぞ」

どうやら芝浦は自分の仕事を忘れていなかったらしい。百瀬のことで頭を一杯にしかけていた和希も我に返り、言われた通り室内を見渡す。端から知っていた情報をたった今聞かされたような顔をして、反応が大袈裟《おおげさ》になっている者はいないか、不自然な行動をしている者はいないか、署員の顔をひとりひとり確認する。だが、どの顔も一様に焦燥と動揺に歪み、取り立てて変わった動きをする者もいない。

見落としているだけなのか、それとも最初から署内に内通者など存在しないのか、迷い始めた和希の目が、部屋の隅でぴたりと止まった。

課長を中心に慌ただしく情報のやり取りをする署員たちから一歩離れた場所に、速水が立っている。速水はいつものように冷ややかな無表情で腕を組んでいるのだが、その様子がどうにも落ち着きすぎているようで和希の目を引いた。

不測の事態が起きているのだからもう少し慌ててもよさそうなものをと和希は思い、続けてフッとこんなことを考えた。

もしもこの状況が、速水にとっては不測でもなんでもなかったとしたら?

胸の中で何気なく呟いて、和希は小さく目を瞠《みは》る。単なる思いつきでしかないのに、不思議としっくりくるのはなぜだろう。

だがよくよく考えてみれば、鬼頭組の麻薬取引が所轄の与り知らぬところで一度失敗しているということは、警察の動きを百瀬に流していたのは本庁の人間ということになりはしないか。

それともうひとつ、数日前に街中で百瀬を尾行していた速水がそれを否定したのも気にかかる。あのとき速水は尾行の途中で百瀬を見失って姿を消したのだとばかり思っていたが、和希が双方を見失った隙に情報の交換をしていたということは考えられないだろうか。

速水に対する疑惑が見る間に色濃くなったところで、視線に気づいたのか速水がこちらを見た。速水は表情こそ変えなかったが、無言で眼鏡を押し上げると和希の視線から逃れるように部屋の外へ出ていこうとしてしまう。

とっさに速水を追いかけようとした和希だが、同時にジャケットの胸ポケットに入れていた警察支給の携帯が震え、ほとんど反射的にそれを取り出していた。

所轄に配属されてからというもの、仕事中はもちろん非番の日もこの携帯が手放せなくなった。緊急配備などがかかれば非番だろうとなんだろうと容赦なく連絡が入って、うっかり電話に出なければそれがどんな理由であれ、後で散々絞られる羽目になるからだ。

部屋の入口に向かう速水を目で追いつつ、和希は慌ただしく携帯のディスプレイに視線を落とす。見覚えのない番号だが、この携帯にかかってくるということは仕事絡みの用件だ。無視するわけにもいかず、和希も部屋の入口に向かいながら携帯を耳に押し当てた。

通話ボタンを押した途端、もしもし、と低い男の声が響いてきた。聞き覚えはあるもののすぐには相手の顔が思い浮かばず足を止めた和希は、頭の中で像を結んだその輪郭にギョッとして携帯を取り落としそうになった。

「もっ……百瀬……かっ……？」

うっかり百瀬の名を大声で叫びそうになり、和希はギリギリのところで声を殺す。

『今だけは、サエキなんて叫ばれなくてホッとした。でも今度から直接会うときは本名で呼ぶな』

「そんなこと言ってる場合か！　大体お前、なんでこの携帯の番号知ってるんだ！」

『ホテルでお前が寝てる間に登録しておいた』

「お前……っ、いや、その話は後だ……！　今、鬼頭が空港でバイヤーに会ってるって……まさか取引の日が早まったのか……!?」

和希は口元に手を当て、こそこそと部屋の隅に立ち口早に尋ねる。すると受話器の向こうから、ほぅ、と感心したような声が上がった。

『もう知ってるのか。警察も意外に有能だな』

「失礼なこと言ってんじゃねぇぞ！　ちゃんと事情を説明しろ！」

うっかり声を荒らげてしまったが、混乱冷めやらぬ室内で和希を振り返る者はいない。それでもあたふたと口を閉じた和希の姿が目に浮かんだのか、電話の向こうで百瀬が笑った。

『驚かせて悪かったな。バイヤーの来日が早まったのはうちの社長の独断だ。俺もそんな連絡は受けていなくて、今日になって初めて知った』

「え、でも、取引を仕切ってるのはお前だって……」

『いつも俺に任せっきりじゃ社長もつまらなかったんだろう』

和希の疑問をさらりと受け流し、百瀬は手短に状況を説明する。

『バイヤーは到着してるが、薬はまた別ルートで日本に持ち込まれる予定だ。だから取引の日は変わらない。そっちもこれまで通り鬼頭の動きだけ見張ってれば問題ないぞ』

問題ないと言われても和希は素直に頷くことができない。何しろすぐ側では署員たちが現在進行形で様々な憶測を飛ばし慌ただしく駆け回っているのだ。この状況を横目に胸を撫で下ろすことは難しかった。

さらに、つい先程浮かんだ百瀬への疑いもまだ和希の中で尾を引いている。百瀬を無条件に信じてしまっていいのかどうか、この期に及んで迷いが生じた。

バイヤーが早めに来日する件についても、百瀬からはなんの連絡もなかった。

単に百瀬と鬼頭の不和が進んでいるだけで、百瀬に情報を隠すつもりはなかったのかもしれない。現にこうして連絡もくれた。だがその行為もまた、最後の最後でこちらの裏をかくための布石でしかなかったら？

疑いだせばきりがない。携帯を握りしめ喉の奥で声を潰すと、その葛藤が伝わったのか百瀬が静かに呟いた。

『……俺が信じられないか？』

機械越しに耳へと流れ込む百瀬の声は、穏やかだ。だがそこには、諦《あきら》めに似た静けさがある。『信じられないだろうな』と続きそうなその声に、和希は唇を噛みしめた。

本当は、聞きたいことが山ほどあった。本当にお前を信じていいのか。鬼頭との仲はどうなっているのか。ヤクザよりも警察を恨んでいるというのはどういうことか。

高校の屋上で、自分と交わした言葉はもうすべて忘れてしまったのか。

（どうして俺とお前、こんなに違う場所に立ってるんだろう……）

受話器の向こう、百瀬はどこにいるのだろう。組の中なのか、それとも鬼頭につき添い空港にいるのか。どちらにしろ、警察署内にいる自分とは実際の距離以上に遠い。

昔は確かに、同じ場所を志したはずなのに。

「――……信じる」

気がつけば、電話口で和希はそう口走っていた。

信じるに足る根拠などどこにもなかった。それでもかつての親友を信じたい一心で、和希は同じ言葉を繰り返す。

「俺はお前を信じたいよ、百瀬」

声には少し、すがるような響きが混じってしまったかもしれない。受話器の向こうからは息遣いも聞こえないほどの静寂が流れ、それきりなんの言葉も残さず通話は切れた。

和希はしばらく携帯を耳に当ててから、ゆるゆると腕を下げ深い溜息をつく。

携帯をポケットにしまい会議室の入口を振り返ってみるが、その周辺では相変わらず課長たちが青い顔をして状況確認に追われており、とうに部屋を出ていったのだろう速水の姿はもうどこにもなかった。

高校卒業後一般の大学に進んだ和希は、三年に進級してもまだ進路を決められずにいた。高校の頃、コンビニ強盗から自分を助けてくれた刑事への憧れを忘れたわけではなかったが、そんな子供っぽい理由で進路を決めてしまっていいのかという迷いもあった。

悩んでいた和希の進路を決定づける事件が起こったのはその年の夏、和希がバイトをしていた牛丼のチェーン店に、ナイフを持った強盗が乗り込んできた日のことだ。

時刻は深夜、金を出せとナイフを突きつけられる状況も一緒で、こんなことが人生に二度もあるのかと己の不運を呪《のろ》いつつ和希は両手を上げた。店内には腰の曲がった老人がひとりでおしんこを食べている他に客はなく、今度こそ救いの手は差し伸べられないと覚悟して。

しかし、奇跡は起きた。ニット帽を目深にかぶって和希にナイフを突きつける男に、カウンターでおしんこを食べていた老人が声をかけてきたのだ。

やめておきなさい、と穏やかな声を上げた老人に、爺《じい》さんこそやめておけよ、と喉元まで出かかった。うるせぇジジィ黙ってろ！　とわめく強盗に老人は動じた様子もなく、まぁ座りなさい、一体どうしたと会話を続け、気がつけば強盗は老人の隣のカウンター席に腰かけてめそめそと泣いていたのだった。

結局大人しくなった強盗を老人が近くの交番に連れていき事なきを得たのだが、その老人は現役の頃落としの名手として名を馳《は》せた元刑事だったと後に知り、和希はつい思ってしまったのだ。これはもう、運命なのかもしれないな、と。

そのことがきっかけで、和希は本格的に警察官を目指すことにした。

採用試験の勉強や、警察学校での厳しい訓練には何度も音を上げそうになったが、そんなときは百瀬の顔を思い出した。きっと百瀬も、同じように歯を食いしばって試験や訓練に耐えたのだろうと思えば乗り越えられた。

高校時代一度も同じクラスにならなかった百瀬とは、昼休みに弁当を一緒に食べる以外接点もなく、メアドの交換すらしていなかった。だから卒業後は一度も連絡などとっていなかったのに、百瀬は刑事になるのだと信じて疑いもしなかった。自分も刑事になれば、いつかどこかの所轄で再会することもあるだろうと漠然とした期待を抱きながら。

（……それがまさか、こういう形で会うことになるなんてな）

都内にあるシティホテルのエレベーター内で、コートのポケットに両手を入れた和希はぼんやりと階数表示板を見上げる。

今日は百瀬とこのホテルの一室で会う約束をしている。最初は駅前で待ち合わせだったのだが、前回予想外に武藤や鬼頭たちに和希と行動を共にしているところを見られていたせいか、途中で待ち合わせ場所が変更になり直接ホテルに来るよう言いつけられたのだ。

エレベーターは五階で止まり、和希は臙脂色の絨毯が敷かれたフロアに足を踏み入れる。あらかじめ教えられていた部屋番号の扉を叩くと、すぐにジャケットに入れていた携帯が震えた。ディスプレイには百瀬の携帯番号が表示されており、電話に出るのも面倒くさくなって和希は一声「俺だ！」と叫んだ。

間をおかず部屋の扉が開かれて、中から携帯を手にした百瀬が現れた。

「かかってきた電話にはきちんと出ろ」

「お前こそ、こんな近距離でわざわざ電話かけてくるなよ」

「来客がお前かどうか確かめるにはこれが一番確実だろう」

相も変わらず用心深い百瀬を押しのけて和希は部屋に入る。シングルルームはさほど広くなく、ベッドとドレッサー、ひとり掛けのソファーと小さなテーブルが置いてあるだけで一杯だ。百瀬に促されるのを待たず、和希は壁際に置かれたソファーに腰を下ろした。

「仕事中に抜けてきたのか？」

部屋に戻ってきた百瀬がスーツ姿の和希を見下ろし尋ねてくる。和希が頷くと、百瀬は「だったら手短に済ませよう」とドレッサーの前に置かれた椅子を引いた。

椅子に腰かけた百瀬はダークスーツの上に黒のコートを羽織っている。この場に長居するつもりがないのはむしろ百瀬の方らしく、コートを脱ぐそぶりも見せない。そしてその顔には、いつもと同様室内だというのにサングラスをかけたままだ。

「前回は驚かせたな。予定より早く来日したバイヤーには、取引当日まで日本観光を楽しんでもらってる。取引の日は変わらず一週間後だ」

署内でも鬼頭とバイヤーの動きは追い続けている。バイヤーは鬼頭組には近づかず、浅草や銀座を訪れて観光と買い物を楽しんでいるようだから百瀬の言葉に嘘はないのだろう。

「当日、社長とバイヤーは別々の車に乗って移動する。どちらも目的地は一緒だからうろたえるな。薬は別の車で運ばれるから、計三台が取引の場所に集まることになるな」

頷きつつ、かなり有用な情報だ、と和希は思う。すでに取引場所はわかっているものの、当日突然鬼頭とバイヤーが別々に行動し始めたら少なからず署内に動揺が走っただろう。

問題は、まだ下っ端の自分が署内で血眼《ちまなこ》になって探しているサエキからそんな情報を得たと言ったところで、皆が信じてくれるかどうかだが。

思案気な顔をする和希を見て、情報開示は十分だと悟ったのか百瀬が席を立ちかける。そのまま部屋を出ていきそうな雰囲気を漂わせる百瀬を、和希は慌てて呼び止めた。

取引前に百瀬と会うのは今日が最後だ。そして取引後は、自分から会おうと思ったところで百瀬が応えてくれる可能性は低い。そう思ったら呼び止めずにはいられなかった。

「百瀬……お前さ、今回の取引が終わったらどうするんだ？」

問いかけに、百瀬はすぐに答えなかった。だからといって会話を断ち切るつもりもないらしく、椅子から浮かせかけた腰を静かに下ろす。

「当然もう、鬼頭組にはいられないよな？　でも、もしも何かの手違いで鬼頭組が存続することになったら、この先ずっと鬼頭組に狙われることになるんだぞ？　豊岡組の組長だって孫をそんな目に遭わされたらどう出るか……。そうなれば武藤だって豊岡に追従してお前のことを狙ってくるかもしれない」

和希はそこで言葉を切る。本当は百瀬自身が新しい組を作るという可能性もあるのか訊きたかったが、どちらにしろ豊岡組とその傘下の組に目をつけられるのは変わらない。

「……やめちまえよ、ヤクザなんか」

そう口にしてから、以前観覧車の中で百瀬と交わした会話を思い出した。あのときも和希はヤクザなんかと言って百瀬の逆鱗《げきりん》に触れたのだ。ヤクザ以外誰も救ってくれなかったと凄《すご》んだ百瀬の荒《すさ》みようは、まだ記憶に鮮明だ。

また怒らせただろうかと百瀬の顔色を窺ってみるが、黙ってこちらを見る百瀬の目元はサングラスで隠され表情を読むことはできない。

百瀬は和希の質問になかなか答えようとせず、だからといってこの場から立ち去る気配もない。言葉もなく能面のように感情を匂わせない顔を向けられると身の置きどころがなく、和希は息苦しささえ感じて呻くように呟いた。

「こんなときぐらい、サングラス外せって……」

どうせ黙殺されるだろうと口にした言葉に、思いがけず百瀬が反応した。黙ってサングラスに手をかけた百瀬は、それを外すと傍らのドレッサーの上に放り投げた。

これでいいかとばかり、素顔を晒した百瀬がこちらを向く。

父親が自殺した後警察学校を中退して、行き場を失い暴力団に取り込まれ、組織の中で地位を築くも今また寄る辺《よるべ》を失いつつある百瀬は、今日までどんな風景をその目に映してきたのだろう。向けられる百瀬の視線は、素足《すあし》で氷の上に立たされている錯覚に陥るほど鋭く冷たい。けれど一点、相手から目を逸らさない真っ直ぐさだけは昔と変わっていなかった。

だから和希は、百瀬なのだ、と思う。

どれだけ変わってしまっても、ここにいるのは確かに、百瀬だ。

「…………俺、お前と刑事になりたかった」

百瀬と再会してから何度も口にしかけて、でも結局言えなかった言葉はほとんど無自覚に唇からこぼれ落ちた。

たとえ屋上で交わした会話の数々を百瀬が忘れていたとしても、これが最後かもしれないと思うと伝えずにはいられなかった。

「覚えてないか、高校の頃屋上で、一緒にデカになって張り込みしようって話したの。お前にとっては冗談だったかもしれないけど、でも俺は本気で……今だって本気で、いつか本当に、お前と一緒に刑事の仕事がしたいと思ってる」

思い詰めた目で和希が言い終えるや否や、突然百瀬が顔を伏せて笑い出した。鋭く息を吐くようにして一声笑うと、あとは声もなく肩を震わせ笑い続ける。

自分でも子供っぽいことを言った自覚があるだけにカッと顔を赤くした和希は、照れ隠しに声を荒らげた。

「いいだろ！　思うくらい！」

百瀬は顔を伏せたまま、もう言うなとばかり軽く片手を上げる。さらにもう一方の手で口元を覆い面《おもて》を上げると、指の間からすくい上げるように和希を見た。

その視線を捉えて何か怒鳴りつけてやろうとした和希だが、指の隙間から覗く百瀬の目を見て、息を呑んだ。

直前まで笑っていたとは到底信じられないほど、百瀬の瞳は冷え切っていた。一言でも不用意な発言をすれば問答無用に飛びかかられそうだ。張り詰めた雰囲気に、和希はごくりと喉を鳴らす。

百瀬は相手の喉元に突きつけた刀を鞘《さや》に戻すようにゆっくりと目を伏せると、同じ速度で口元から手をどかした。

「……俺の親父のこと、知ってるか？」

唇に笑みを貼りつかせたまま、百瀬はごく小さな声で呟く。和希は百瀬から少しでも距離をとろうと無自覚にソファーに背を押しつけていた自分に気づき、強張る体を無理やり前に押し出した。

「確か……押収した麻薬を暴力団に横流しして、それがばれて懲戒免職になったんだろ？その後銃で自殺したって──……」

「自殺、ねぇ」

口調だけは面白がるふうに繰り返し、百瀬はドレッサーに肘をついて体を斜めにする。それから脚を組むと、ことさらゆっくりと瞬きをして口を開いた。

「親父は警察に殺されたんだ」

あまりにあっさりと口にされた言葉は現実味が薄く、和希の頭にはとっさにどんな言葉も浮かんでこない。そんな和希に、百瀬は放り投げるようなぞんざいさで言い放った。

「親父の死体を見つけたのは俺だ。自宅の書斎で額を撃ち抜いて死んでた。机の上に血だまりができて、そのすぐ側に、遺書があった」

「よ……読んだのか、遺書」

掠れた声で和希が尋ねると、当然とばかり頷かれた。

「親父は懲戒免職を食らったばかりで、その原因になった麻薬の横流しについて書かれてた。自分にはまったく身に覚えがない、自分は嵌められただけだってな」

「それって……」

百瀬の言わんとしていることを悟り、和希の指先が水に浸したように冷たくなる。

百瀬は口元に浮かべた笑みを消し、冷徹な声で言い切った。

「親父はどっかの誰かに、事前の断りもなく濡《ぬ》れ衣《ぎぬ》を着せられたってことだ」

反射的に、まさか、と口を衝いて出そうになった。

警察で押収した麻薬を横流しにしていたという事件の内容から鑑《かんが》みて、百瀬の父親に濡れ衣を着せられる者が本当にいたとしたら、その人物はまず間違いなく警察内部の人間だ。それは自分の所属する組織が、ひとりの人間を死に追いやったことを意味する。

俄かには信じられず、和希はとっさに反論を探す。そもそも遺書の内容が真実だという証拠がない。百瀬の父親が警察を逆恨みし、最後に醜聞をねつ造しようとして書いた可能性だってある。そう思ったのが表情に出たのか、百瀬が低い声でつけ加えた。

「親父はもともと、そんなに筆圧の高い方じゃなかったんだよ」

前後の脈絡がない言葉に思考を分断され、和希は慌てて顔を上げた。

「でもその手紙だけは、紙が破けるほど力を込めて書かれてた。お前にも実物を見せてやりたかったな。一目見れば疑いも吹っ飛ぶ。無念さが目で見えるような手紙だったぞ」

「で、でも、その手紙があれば親父さんの疑いも晴れたんじゃ……？」

「そうだな。その手紙があればな」

妙な言い回しをしたと思ったら、百瀬の瞳が一層暗くなった。刹那《せつな》、続きを聞けばますます百瀬の内に潜む闇に引きずり込まれるという予感が走ったが、暗い海の向こうから押し寄せる潮騒《しおさい》を前にしたときのように、和希は百瀬の言葉を止めることができなかった。

「親父の遺書は警察が押収していった。その後すぐに行方不明になって、しまいには、最初からそんなものはなかったなんて扱いになった」

和希を見据え、わかるか、と百瀬は囁く。

「警察は内部告発に繋がりかねない証拠を隠滅したんだ」

和希は反射的に百瀬の言葉を否定しようとするものの、その根拠となるものが見つからない。それよりも、自分を見る百瀬の目の暗さの方がずっと真実味を帯びている。

恨むとしたらヤクザより警察だという百瀬の言葉が骨身に染みて理解できて、和希は小さく体を震わせた。警察官になった自分を見る百瀬の目が冷たい理由もようやくわかった。今や百瀬は、警察という組織そのものを憎悪しているのだ。

一緒に刑事になりたいという自分の言葉が笑い飛ばされるわけだ。いたたまれなさに身を竦めながらも、和希は最後にもう一度だけ食い下がる。

「でも、警察には叔父さんもいたんだろ？　お前が憧れてた、叩き上げの……」

もしも百瀬の父親が濡れ衣を着せられたのなら、身内である叔父が黙っていなかったのではないかと思ったのだが、和希はすぐ叔父を話題に上げたことを悔やんだ。表情こそ変わらなかったが、百瀬の頬にザッと不穏な波が走ったのを肌で感じたからだ。

気圧されて口を噤んだ和希に視線を向けたまま、百瀬は組んだ脚の上に手を置いて指先で膝を叩いた。

「……先に俺の話をしておくとな、親父がそんな死に方をしたもんだから刑事になる気も失せて、警察学校は中退したんだ。どうせだったら警察の反対勢力になってやろうなんて夜の街に飛び込んだのは、我ながら頭の悪い選択だったと思うがな」

十九歳で地元を出て、チンピラの仕事を手伝いながらその日暮らしを繰り返す生活は三年ほど続いた。さりとて警察に意趣返しをする手段もなく、このままグズグズと夜の街に馴染んでいくのだろうと思い始めた頃、前触れもなく叔父は百瀬を訪ねてきたという。

「三年間、俺のことを探してたそうだ」

つまらなそうに言い捨てた百瀬に、それでも和希はホッとする。少なくとも百瀬の叔父は百瀬を見捨てなかったのだ。それなのに百瀬の表情は陰鬱なままで、理由がわからず首を傾げた和希は、次の言葉でさらに深く首を傾けた。

「叔父の苗字は、もう百瀬じゃなくなってた」

すぐには意味を捉えかね視線をうろつかせた和希に、百瀬は肩を竦めて補足した。

「結婚したんだよ。上司の娘と。婿養子に入って、だから苗字が変わってた」

「あ、そういう……」

「ついでに階級も変わってた。四十代で警視長だ」

へぇ、と頷きかけて和希は思いとどまる。

確か百瀬の叔父は叩き上げのノンキャリアだ。ノンキャリアの場合、定年間際まで努力を重ねたところで警視正までの昇進が限界のはず。それなのに百瀬の叔父はさらにその上、警視長の肩書を得ているという。しかも四十代の若さで。

異例の昇進に不可解な表情を浮かべる和希を見て、百瀬は再び指先で膝を叩いた。

「結婚相手の父親は本庁のキャリアだ。そいつが娘可愛さに何か手回ししたんだろう。もちろん、周りが文句を言わないようにそれなりの名目も与えてな。あそこはそういう裏技もまかり通っちまうってことなんだろうよ」

心底辟易《へきえき》した口調で言って、百瀬は膝の上で指先を上下させる。

「何が一生現役だか。あっさり現場を捨てて、百瀬の苗字も投げ打って、親父と自分は無関係って面で警察にい続けるんだから、大したもんだ」

唾棄《だき》するような百瀬の言い草に、和希の胸がチクリと痛む。高校の頃は屈託なく叔父を慕い、自分も叩き上げのデカになると語っていた百瀬だから、言葉にされなくとも当時の百瀬が叔父に裏切られた気分に陥っただろうことは容易に想像がついた。

淡々とした口調とは裏腹に、苛立ちを示すように繰り返し膝頭を叩き続ける百瀬の指先を見て、和希はそっと溜息をつく。

きっと百瀬は叔父に取り残された淋しさを怒りにすり替えてしまっている。叔父にそんなつもりはなかったのだろうが、その生き方は父親を切り捨てたようにしか百瀬には見えなかったのだろう。その上ノンキャリアの叔父でさえ上官に上手く取り入れば異例の出世をしてしまう現実を目の当たりにして、ますます警察という組織に嫌気がさしたに違いない。

「叔父さんは、お前になんの用で……?」

「さあな。真っ当に暮らせとかなんとか通り一遍のことしか言ってなかったんじゃないか? まともに取り合うのも面倒ですぐに追い返して、それからは一度も会ってない」

もしかすると叔父の来訪は日の当たる道に戻る最後のチャンスだったかもしれないのに、百瀬は自らそれを切り捨てた。その結果、百瀬は未だにこの場所にいる。叔父と再会したときよりもずっと深い闇を纏って。

和希は視線を落とし、自分の靴の爪先辺りを見詰めた。

「……じゃあお前、このままずっとヤクザ続けるつもりなのか?」

問いかけに、膝の上で絶えず上下していた百瀬の指が止まる。父親と叔父のことを語っている間百瀬の体を覆っていた青白い炎のような怒気が、スゥッと引いていくのがわかった。

「ここまできたら、そうするしかないだろうな」

怒りの後に広がったのは、ひんやりとした諦観だけだ。他にどんな道があると問い返すような沈黙に、和希は言葉を返せない。警察の不正を目の当たりにし、それが原因で身内まで亡くしている百瀬にかけられる言葉など、簡単に見つかるはずもなかった。

そのまま黙ってしまってもよかった。最早百瀬と自分は歩いている道も、目指す場所も違うのだと己を納得させ、その場を立ち去ることもできた。

それでも、言葉は自然と転がり落ちた。

「でも俺は……お前と張り込みしたかった」

その言葉に、百瀬はどんな言葉も返さなかった。

だからといって先程のように膝の上で指先を上下させることもなく、馬鹿みたいに同じことばかり言う自分に呆れているのかもしれない。

いつまでも続く水を打ったような静けさにさすがに居心地が悪くなり、和希が俯けた顔を上げようとしたときだった。

先程からぼんやりと意識に触れてはいたがさほど気に留めていなかった音が近づいてきて、和希は頰を強張らせる。勢いよく面を上げると、百瀬も真剣な顔で窓の外を見ていた。

段々とホテルに近づいてくるその音は、パトカーのサイレンだ。すぐ通り過ぎるだろうと思いつつも息を潜めて耳を傾けていると、唐突にサイレンの音が止まった。

ぎくりとして和希はソファーから立ち上がる。窓際に置かれていたベッドに膝をついてカーテンを引くと、パトカーの赤色灯が目を射した。見下ろせば、一台のパトカーがホテルの入口前に停車したところだ。

パトカーの屋根に書かれた漢字と数字の組み合わせを見て、サッと和希の顔が青褪《あおざ》める。

(……うちの所轄の車だ)

このホテルは和希の勤める警察署の所轄内だからおかしなことではないのだが、こんなタイミングでこの場に所轄のパトカーが来ることなどあるだろうか。

(まさか、俺が百瀬とやり取りしてたのがばれたのか……⁉)

ベッドに片膝をついたまま慌てて背後を振り返った和希は、腰をねじった不自然な体勢で息を止めた。

すでに椅子から立ち上がっていた百瀬が、一体どこに隠し持っていたものか、黒光りする銃口をこちらに向けていたからだ。

「も……もも……」

名前を言い切らないうちに百瀬が銃の撃鉄を上げて、うっかり声を呑んでしまった。下手に身動きもできず視線だけ百瀬の顔に向ければ、百瀬は焦りも憤りもない、どこまでも無感動な目で和希を見ていた。

まるでこうなることを予期していたようなその顔を見て、和希は銃口がこちらを向いていることも忘れてベッドから飛び下りる。

「違う！　俺じゃない！　ここでお前と待ち合わせしてたことは誰にも言ってない！」

和希の動きに合わせ、百瀬は滑らかに銃口の位置を変える。きっと標準は和希の心臓か額にぴたりと合わせたままなのだろう。

和希は抵抗する意思がないことを示すつもりで両手を顔の高さに上げ、窓の外へと視線を落とした。パトカーからは二人組の警官が降りたところだ。揃ってホテルに入ってくる。

所轄の人間がどんな意図で動いているのかわからない以上、和希もすぐにはどう行動すべきか判断がつかない。動揺も鎮められず百瀬へと顔を戻せば、こちらに向けられたままの銃口が目に飛び込んでくる。

上手く状況が説明できず唇をパクパクと動かす和希に、百瀬は最小限の口の動きだけで、こう言った。

「——……やっぱりお前も、警察の人間だな」

その瞬間、百瀬の意識がスッと自分から逸れていくのを感じ和希は全身を硬直させた。本能的に、見限られた、と思った。

これでもう、百瀬は自分のことを一個人として見ない。警察という憎むべき組織の一員としてしか扱わない。

裏返せば今この瞬間まで百瀬は確かに和希を和希として見ていてくれたのだと悟った途端、和希は腹の底から叫んでいた。

「何してんだ、早く逃げろ！」

言うが早いか両手を下ろし、和希は百瀬に向かって走り出す。

百瀬なら発砲しないと高をくくったわけではなかったが、それよりも、伝えなければと強く思った。その想《おも》いが恐怖に勝って、和希は銃を構えた百瀬に駆け寄る。

幸いなことに、百瀬は引き金を引かなかった。和希はその理由を考える余裕もなく両腕を伸ばすと、百瀬のコートの襟元を乱暴に摑んで引き寄せる。

「これだけ聞いたらとっとと逃げろよ！　俺はな！　確かに警察の人間だけど、でも」

百瀬は銃を手にしているはずなのにろくな反応を示さない。和希に襟元を摑まれて揺さぶられるがままだ。

諦めに凪いだ百瀬の顔を見上げ、和希は全身を震わせて叫んだ。

「俺個人はお前を裏切らない！　絶対だ！」

言うだけ言って、和希は力一杯百瀬の胸を押す。一刻も早くこの場を離れろと促すつもりで。それなのに百瀬の体は微動だにしない。何してるんだと怒鳴りつけようとしたらいきなり百瀬の腕が伸びてきて、有無を言わさず抱きしめられた。

百瀬の広い胸に頰を押しつけた和希は、何が起きているのか理解できず目を瞬かせる。その間も背中に回された両腕が強く自分を抱き寄せてきて、ようやく事態を理解した和希は上ずった声を上げた。

「ば…っ…な、何してんだ！」

「いや。今この状況で警察がなだれ込んで来たら、お前の立場はどうなるかと思ってな」

「はぁっ⁉　おま……みみっちい嫌がらせ企んでる場合か！」

和希は再び百瀬を押し返そうとするが、両腕でがっちりと拘束されて腕もろくに上げられない。それどころか後ろ頭を大きな掌で押さえつけられ、前より強く百瀬の胸に顔を埋《うず》める格好になった。

百瀬が長身を折り曲げるようにして目一杯抱きしめてくるものだから、和希の体はすっぽりと百瀬に包み込まれてしまう。自分だって決して小柄な方ではないのに百瀬との体格差を見せつけられ、悔しいよりも動揺した。

服越しに伝わる体温は温かい。肩口で感じる百瀬の息遣いに意識が集中してしまう。耳から頬がじわじわと熱くなるのがわかって、和希は必死で百瀬の腕を振りほどこうとした。

「も……百瀬…っ…モモ！　いい加減離せ！」

どう足掻《あが》いても百瀬の腕が緩まないものだから、うっかり学生時代と同じ呼び名で百瀬を呼んでしまった。途端に百瀬が声を上げて笑う。

「モモか。久々だな、その呼ばれ方」

その声を聞いた途端、躍起になって百瀬から身を離そうとしていた和希の動きが止まった。唐突に百瀬の声音が変わったからだ。

和希は首をよじって百瀬の顔を確認しようとするが、それを阻むように後ろ頭に添えられた百瀬の手に力がこもって動けない。その体勢のまま、百瀬は苦笑交じりに呟く。

「風俗店でお前を助けたときから、こうなるんじゃないかとは思ってたんだ。予想よりも遅かったくらいだな」

その言葉に、和希は百瀬の腕の中で身を固くする。あのとき百瀬は和希と気づかず店から逃がしてくれたようだったのに、実際は最初から何もかもわかっていたということか。

知っていてどうして、と和希は尋ねようとするが、そんな和希の言葉を遮って百瀬は懐かしそうに続ける。

「本格的にこっちの世界に入ってから、何度もお前のことを思い出した。いつか二人してデカになったら所轄で会おうって約束、覚えてるか」

不意打ちに、和希は百瀬の体を押し返すことを忘れた。

今まで百瀬からは一度も高校時代の話を持ち出さなかっただけに驚きが大きい。お前こそ覚えてたのかと思ったら、不覚にも目の奥が熱くなった。

当たり前だと伝えたいのに口を開けば震えた声が出てしまいそうで、和希は百瀬の肩口で大きく首を縦に振る。耳の上を百瀬の笑い声が掠め、後ろ頭を乱暴に撫でられた。

「お前はもうデカになったか、それともまだ交番かなんて、何度も考えたもんだ」

笑いのにじむ百瀬の声は穏やかで、学生時代に戻ったかのようなそれに和希は息を詰める。

何か言い返したいと思うのに、自分の言葉で百瀬の声を途切れさせてしまうのが惜しくてできなかった。ただ百瀬の肩に額を押しつけ、必死で唇を噛み締める。

（……百瀬だ……百瀬……モモ――……）

懐かしさと安堵《あんど》で、気を抜くと妙な声が漏れてしまいそうだった。いよいよ警察に捕まるかもしれないというこんな状況で昔の姿に戻った百瀬に、やっぱりその本質は何も変わっていなかったのだと痛感する。

和希は体の脇に垂らしていた手をゆっくりと上げる。今からでも遅くないから戻ってこいと伝えたくて、自分を抱きしめる百瀬の腕に手を伸ばす。

直後、再び窓の外が騒がしくなった。

和希を抱きしめたまま顔を上げた百瀬が窓に向かって歩きだし、文句を言う間もなく和希も後ろ向きに歩かされる。途中、無理やり首を回して窓の下を見ると、先程パトカーを降りた警官が二人がかりでスーツ姿の中年男を車に入れるところだった。

男はひどく酔っているらしく警官の手を振り払ってパトカーから出ようとする。それを再び車に押し込み、パトカーはゆっくりとホテルの敷地から出ていってしまった。

一連の出来事を目で追って、和希はドッと体の力を抜いた。どうやらあのパトカーは百瀬を追ってきたわけではなく、迷惑な酔っ払いを保護するためにやってきただけらしい。

大きく息を吐き出したら、それまで痛いほど強く抱き寄せられていた体をふいに突き飛ばされた。すっかり足から力の抜けていた和希は後ろによろけ、背後のベッドに尻餅をつく。

抗議の声と共に顔を上げたときにはもう、百瀬はこちらに背を向けてドアの方へと歩き出している。直前に一瞬だけ見せた懐かしい気配はもうその背中から感じとることができず、和希はベッドに座り込んだまま目一杯腕を伸ばして百瀬のコートの裾を摑んだ。

「あんな話した後でこっちが大人しく引き下がると思うなよ！　お前やっぱり、ヤクザなんて――…っ…」

やけくそ気味に全体重をかけてコートを引っ張ると、百瀬が勢いよくコートの裾を翻した。振り切られまいと大声で百瀬の名を呼ぶと、百瀬がいきなりベッドに乗り上がってきた。

そこでようやく百瀬が右手に銃を持ったままだと気づき、和希の視線は百瀬の手元に釘《くぎ》づけになる。だからその瞬間、百瀬がどんな顔をしていたのか和希にはわからない。

気がついたときにはもう、乱暴なキスで百瀬に口をふさがれていた。

勢いでベッドの上に押し倒され、驚いて声を上げようとしたら開いた唇の隙間から百瀬の舌が割り込んできた。強引に歯列を割られ、舌先が絡んで和希の肩が跳ね上がる。

互いの距離が近すぎて百瀬の表情は見えない。それがゆえに和希にはどうして百瀬がこんなことをしているのかわからない。

以前風俗店で百瀬がいきなりキスをしてきたのは、サエキという名で通している百瀬の本名を自分が口にしかけたからだ。単に自分を黙らせようとしてあんなことをしたのだろうということくらい、おぼろに和希も理解していた。だが今回のこれはなんだろう。二人しかいない密室で、こんなふうに和希を黙らせる必要があるだろうか。

考える間にも百瀬の唇はますます深く絡まって、和希の思考は結んだ端からほどけてしまう。逃げる舌を捕まえられて強く吸い上げられ、背筋に大きく震えが走った。

(こ、この前と違う……!)

前回のキスはどうだっただろう。あのときは男にキスをされているというショックでまともに頭が動かなかったが、今はどうだ。相手は百瀬で、男で、それなのに、どうして口内で百瀬の舌が蠢くたび体に震えが走るのか。

それが嫌悪から来るものではないことは明白で、だからこそ和希の混乱は一層深まる。

「もも……っ」

顔を背けようとしたら銃を持っていない方の手で顎を摑まれ、咎めるように舌を噛まれた。乱暴なだけではなくどこか甘いその仕草に、和希の心臓がきつくよじれる。それでうっかり動きを止めると、今度は柔らかく舌先を舐《な》められた。そのままでいろ、とばかり指先で顎の下をくすぐられ、和希の喉が小さく鳴る。

和希はその手を払いのけようとするが上手くいかない。百瀬が銃を持っているからだろうか。だが恐怖で体が強張っているのとは違う気がする。全身が痺《しび》れたようで感覚が曖昧《あいまい》だ。ろくに抵抗もできないでいる間に百瀬の舌は和希の舌に絡みつき、その執拗な動きに和希は眩暈を起こしそうになる。舌だけでなく、体ごと全部百瀬に呑み込まれてしまいそうだ。

「ん……っ……」

その想像は予想外に和希の胸の深いところを喜悦で濡らし、期せずして甘い声が鼻から漏れた。そんな自分の反応にギョッとして、和希はようやく百瀬の体を渾身の力で押し返す。

互いの唇が離れる。一連の行為の意図がわからず百瀬の表情を確認しようと目を上げたが、

寸前で百瀬の手に目元を覆われ何も見えなくなった。

なおもその手を払いのけようとすると顎の下に衝撃が走り、上下の奥歯が鈍い音を立てぶつかり合った。続いて鼻先をうっすらと油と硝煙の匂いが掠め、顎下に銃を突きつけられたのだと悟って和希はたちまち抵抗をやめる。

室内がふいの静寂に満たされる。

和希の目元をふさいだまま、百瀬は何も言わない。和希も肩で息をして百瀬の出方を窺うが、しばらく待ってみても百瀬が動き出す気配はなく、恐る恐る口を開いた。

「百瀬……?」

名前を呼ぶと、束の間《つかま》の沈黙の後小さな溜息が返ってきた。和希はもう一度百瀬を呼ぼうと口を開きかけるが、見越したように何か柔らかなもので唇をふさがれてしまった。

この場に不釣り合いなくらい優しい感触に、和希の体から力が抜ける。

唇に触れたものは一瞬で離れ、次いで顎の下に押しつけられた銃もゆっくりと離れた。最後に目元を覆っていた手が外され、蛍光灯の明かりが和希の両目を射《さ》す。眩しさに目を眇めた隙に部屋の扉が開閉する音がして、室内から百瀬の気配が消えた。

少しの慌ただしさも感じさせず、煙のように百瀬は部屋から立ち去った。耳を澄ましてみても、絨毯の敷かれた廊下を歩く百瀬の足音は聞こえない。

本来ならすぐにでも起き上がって追いかけるべきなのだろうが、和希はベッドの上で両腕を広げたきり動かなかった。

どうせ今部屋を飛び出したところで百瀬に追いつくことはできないだろう。用心深い百瀬のことだから、和希に後を追われぬよう万全の対策を施しているはずだ。

それよりも、最後に自分の唇をふさいだものに和希の意識は流れてしまう。

百瀬は右手で銃を持ち、左手は和希の目をふさいでいたのだからキスをされたと考えるのが当然だが、なかなかそれが呑み込めない。あんなにも優しいキスをされる理由がわからないし、何よりも百瀬にキスをされてこんな気分になる自分がわからなかった。

和希は無言で手の甲を目に当てる。視界を遮ると感覚が研ぎ澄まされ、自分の体の状態がよくわかった。心臓はまだ早鐘を打ち、指先は痺れたように熱い。百瀬の唇の感触を思い出せば、息が引きつれて苦しくなる。

百瀬のことを考えると胸が軋む。今別れたばかりなのにもう会いたい。

こういう気持ちを、和希はもうずっと前から知っていた。

(だからって、なんで今になって――……)

パトカーが去る前にほんのわずかだけ顔を覗かせた昔の百瀬が、記憶の中の百瀬と混じり合う。同時に過去の記憶や感情が鮮烈に襲いかかってきて、和希はきつく目をつぶった。

百瀬にキスをされ体の芯からあぶられたように熱を持つ体も、息を吸うごとに鮮明になる過去の記憶も、今だけは意識の外に追い出そうという、それは必死の抵抗だった。

高校時代の百瀬は人当たりがよく、スポーツも勉強もそつなくこなして、その上見た目も申し分なかったので、教室や廊下で見かけるときはいつもたくさんの同級生に囲まれていた。それなのに昼休みだけは別で、屋上で昼食をとる百瀬はいつもひとりだった。

百瀬と弁当を食べるようになってから半年も経った頃、もしや食事はひとりでしたいのかと遅れて気づいて和希が尋ねると、百瀬は笑ってそれを否定した。

「春先は他の奴らもここで食ってたよ。でも真夏とか真冬はさすがに皆教室で食べるだろ。だけど俺は暑かろうが寒かろうがずーっとここで食ってるから。なんか気がついたら、俺ひとりになってた」

言われて和希は空を見上げる。真冬の空は薄曇りで、箸を握る手がかじかんでいた。

「そういえば真冬に屋上で飯食うって、結構クレイジーだな」

「今頃気づいたか」

「でもここに来ないと鳩が見られないもんなぁ」

本当は、ここに来ないと百瀬に会えないと言うのが正しかったが、さすがにそれを口にするのは照れくさくて別の言葉に変えた。百瀬は焼きそばパンをかじりながら嬉しそうに笑って、屋上の隅に集まっている鳩に目を向けた。

百瀬が親指と中指で作った輪を口元に当てる。灰色の空に指笛の音が響き渡り、それに耳を傾けながら和希は一頻《ひとしき》り百瀬の端整な横顔に見惚《みと》れた。これだけ整ってれば女子が放っておかないだろうな、なんて上っ面では考えながら、心のもっと深い場所、自分でも自覚できないくらい深い深いところでは、まったく別のことを考えながら。

こっちを向けばいい、と思った矢先に百瀬が振り向いて、心の声を読まれた錯覚に陥った和希は焦りをごまかすように声を上げた。

「それ、なんかの合図に使えそうだよな！」

動揺して跳ねた声は、運よくはしゃいだそれのように百瀬の耳に届いたらしい。百瀬は苦笑交じりで「なんの合図だよ」と尋ねてくる。

「だから、ほら……デカになったときとかさ」

「どこで指笛なんてアナログな手段使う気だ？」

「いろいろあるだろ！　たとえば……犯人グループに拉致られたときとか！　連絡手段を全部取り上げられたらそれで助けを呼ぼう！」

「テレビの見過ぎだ。そんな派手な事件そうないぞ」

大人びた顔をして笑う百瀬にムッとして、和希は箸を持った手を振り回す。

「いいから練習しとけって！　犯人を捕まえるタイミングとか、それで合図な！」

「わかったから、米を飛ばすな」

焼そばパンを食べ終えた百瀬は手についたパンくずを払い、再び口元に指を近づける。

二人だけの屋上に、のびやかな指笛の音が響き渡る。楽し気な百瀬の横顔にまたぞろ目を奪われそうになった和希は、なんだかんだ言ってお前もノリノリじゃねーかよ、と減らず口を叩いて目を閉じた。

再び目を開けるとそこは住み慣れた警察寮の自室で、和希はぽかりと口を開ける。焼そばパンの匂いも、吹きつける風の冷たさも、耳に残る指笛の音もあまりに鮮明で、すぐには夢を見ていたのだと気づかなかった。

鮮明だったのは匂いや温度など体で感じるものばかりではない。鳩を見ていた百瀬がふいにこちらを向いたときの胸の疼《うず》きまで当時のままの鮮烈さで、和希は大きな溜息をついた。

(今更惚《ほ》れ直してどうするよ……)

横たわったまま前髪をかき回し、当時の自分はどうして気づかなかったのだろうと我ながらその鈍感さに呆れた。

真夏だろうと真冬だろうと昼休みになるたび屋上に駆けつけていたのは、単に百瀬と警察の話をするのが楽しかったからというだけではない。むしろ警察の話なんて口実で、自分はただ、百瀬に会いたかったのだ。何度屋上で顔を合わせても、変わらず穏やかに笑って迎えてくれる百瀬の顔が見たかった。

改めて思い返せば喋っているばかりでなく、二人で何も言わずに鳩を眺めている時間も長かったように思うが、それでも昼休みは短く感じたし、名残《なごり》惜しく百瀬と別れるのもいつものことだった。

廊下の前で手を振って、別れた端から会いたくなった。振り返って、自分の教室に入っていく百瀬の背中を何度見送ったことだろう。

他の友人に対しては抱いたことのなかった感情を、けれど当時の自分は不思議に思わなかった。多少の違和感を覚えても、百瀬とはクラスが違うからだと思って納得していた。一日中一緒にいられるわけではないからもっと長く隣にいたいだけだと。

相当に鈍かったんだな、と当時の自分に溜息をつきかけ、和希は苦い笑みをこぼした。今の自分だってつい先日まで、こんなにも百瀬にこだわる理由がわかっていなかったのだ。

（あいつのこと追っかけて警察官にまでなったくせに、鈍感にもほどがあるだろ……）

和希は再び目を閉じて、今日に至るまでの自分に盛大な溜息をついた。


「どうした新人、ここんところ覇気がねぇなぁ」

繁華街での見回りを終えて所轄に戻る車の中、助手席に座る芝浦があくび混じりの声をかけてきた。隣でハンドルを握っていた和希は曖昧に首を振ったが、縦とも横ともつかないその煮えきらなさに芝浦が顔をしかめる。

「何を一端《いっぱし》に悩んだ顔してんだか。お前みたいな頭の軽い奴、考えるだけ時間の無駄だ」

芝浦の口が悪いのはいつものことで、和希はそれに腹を立てる気力もない。無言で車を走らせるその横顔は茫《ぼう》として、普段は暑苦しいほどみなぎっている熱も失せている。

根は単純で直情的な和希だが、なまじ崩れた色気があるだけにその姿はとても警官には見えない。今は特に生気を失い、身持ちを崩したギャンブラーのようだ。

さすがにいつもと様子が違うと悟ったのか、芝浦がシートに座り直す。

「どうした。また街で面倒くせぇガキの悩み相談にでも乗ってんのか」

和希は口を開きかけ、けれど再び引き結ぶ。悩み相談をしたいのは自分の方だ。本当は、百瀬のことを洗いざらい誰かに打ち明けてしまいたい。けれど実際にはそんなことができるはずもなく、散々言葉を選んでから和希はようやく口を開いた。

「サエキがヤクザから足を洗うことは、可能だと思いますか……？」

鬼頭組の取引の日まで、残すところあと三日。最近の和希は、取引が終わった後百瀬がどうなってしまうかということで頭が一杯だった。

鬼頭組の残党はもちろん、豊岡組や傘下の武藤組にたったひとりで立ち向かう気なのか。あるいは武藤の幹部が言っていた通り新しい組を自ら作るのか。だとしたら百瀬のことだ、豊岡やその傘下に対抗できるだけの勢力も抜かりなく準備しているのかもしれない。

なんにせよ、このまま百瀬がヤクザの世界から足を洗う気がないのなら、取引の日を境に今度こそ百瀬は自分の手の届かないところに行ってしまう。

真顔でサエキの話を持ち出した和希に芝浦は不可解な表情を浮かべたものの、しっかりと和希の問いには答えてくれた。

「そりゃまず間違いなく、無理だろうな」

迷いなく言い切った芝浦に思わず視線を向けると、「前見ろ」と顎をしゃくられてしまった。慌てて視線を前に戻す和希を確認して、芝浦は続ける。

「考えりゃすぐわかるだろ。サエキのおかげで鬼頭は格段に金回りがよくなったんだ。あんな優秀な男そう簡単に手放すわけがねぇ。上手いこと鬼頭から抜けられたとしても他の組が放っておかねぇよ。豊岡の組長はもう薬に手を出す気はないらしいから別として、鬼頭を目の敵にしてた武藤辺りは真っ先に声をかけるんじゃねぇか？」

「でも、そういう誘いを全部断れば……」

ないない、と芝浦は顔の前で手を振った。

「言っただろ。武藤は元から鬼頭を目の敵にしてんだよ。豊岡の孫ってだけで、あんなボンクラもいずれは豊岡組組長だ。面白くねぇと思ってたところにサエキが現れて、鬼頭組そのものを立て直しちまった。これでもうケチのつけようもなくなっちまったもんだから、武藤はサエキにもいい感情を持ってない。そんな武藤の誘いを断ってみろ。他の組に取り込まれてまた新しい勢力ができちまうくらいならって、武藤はサエキを消しにかかるぞ」

すらすらと淀みなく語られる芝浦の予想は、恐らくこの先起こりうる現実にかなり近い。

所轄の駐車場に車を停めた和希は、ハンドルに額を乗せて遣る瀬《やせ》ない気分で呟いた。

「そういう結末しか招かないってわかってるだろうに、どうして皆ヤクザなんかになるんでしょうね……？　サエキだって、そんなに優秀なら他の生き方もあったはずなのに……」

和希の言葉に、芝浦は鼻から大きな息をついた。

「どうなのかねぇ。そもそもサエキに、他に行くところなんてあったのかどうか」

ハンドルに額を寄せたまま和希は助手席側を向く。

芝浦は腕を組んでフロントガラスの向こうを見ていた。深夜だが所轄署にはまだ明かりが灯っていて、皺の刻まれた芝浦の顔に深い陰影が落ちる。

「どんな優秀な人間も、表舞台から落っこちちまうことはある。一度落ちちまったら自力で這い上がるのは予想以上に困難だ。国に救いを求めたところで思いの外冷淡に切り捨てられるしな。二十代の若い男が生活保護を断られて餓死《がし》したなんて、前に新聞にも載ったろ」

毎日隅から隅まで新聞を読み込んでいる芝浦らしい発言をして、芝浦はそこで一度言葉を切った。芝浦の視線は前方の闇に向けられたままだが、記憶の中の映像でも眺めているのかわずかに視線が揺れている。

「ヤクザも一概に悪いとは言えねぇよ。国が救ってくれない以上他に行きつく場所もない。落ちた人間にとっては最後のセーフティネットだ」

思いがけずヤクザに対して理解のある発言をする芝浦に和希は驚く。警察官が言うセリフではないと思ったが、不思議と芝浦の言葉には重い実感がこもっていた。

和希も言葉の意味を吟味するつもりで反芻し、ふと引っかかりを覚えて視線を止めた。今の芝浦のセリフに既視感があったのだ。

束の間記憶を掘り返した和希は、同じ内容の発言をした人物を思い出して目を見開いた。

『暴力団は行き場を失った人間の最後のセーフティネットだ。世間からはじき出された人間を国で保護するルールも作らないまま、暴力団だけ根絶させてどうするつもりだ？』

耳の奥で蘇ったそれは、百瀬のものだ。

遊園地の観覧車の中、冷え冷えとした目で和希を見据えてそう言った百瀬を思い出し、和希はゆっくりと芝浦に視線を向けた。

（……単なる、偶然だよな？）

期せずして百瀬と芝浦の意見が一致した。それだけの話だ。努めてそう思おうとするが、こんなときに限って百瀬に警察内部の情報を流している内通者の存在が頭をちらつく。

前を向いた芝浦の輪郭が、車内の闇に沈み込んでいくようで和希は狼狽する。唐突に芝浦の表情が見えなくなり、焦って声を上げようとしたらジャケットの中で携帯が震えた。

呼び出し音に気づいた芝浦がこちらを向いて、渋柿でも口に含んだような顔になった。

「帰りが遅いって課長から催促の電話でも入ったか？　まったく融通の利かねぇ男だな」

苦々しくぼやく芝浦はすっかりいつもの顔で、小言はごめんだとばかり先に車から降りてしまう。

車内に取り残された和希は署に入っていく芝浦の丸まった背中を見送り、手の甲で軽く自分の額を叩いた。内通者なんて、刑事歴の長い芝浦に限ってそんなことはあり得ない。気持ちを切り替え、鳴りっぱなしの携帯をジャケットから取り出す。

ディスプレイには、公衆電話の文字が表示されている。てっきり署内からの連絡だと思い込んでいた和希は首を傾げ、耳元に携帯を当てて通話ボタンを押した。

『ああ、やっと出たな』

電話に出るまでに少し時間がかかったからか、相手は開口一番そう言った。その声を聞いた途端、和希はシートから軽く腰を浮かせてしまう。

「百瀬か？」

『サエキだ。学習能力のない奴だな』

受話器の向こうの呆れ声にムッとして何か言い返そうとした和希だが、その気配を察した百瀬に早々に遮られてしまった。

『悪いが時間がない。手短に言うぞ。たった今、武藤が俺に情報を流してる内通者の正体を警察にたれ込んだ』

「はっ？　武藤は内通者のこと知ってるのか？　ていうか、内通者って誰なんだ？」

『お前だ』

ごく短い返答に和希は一瞬黙り込み、それから車内一杯に響く大きな声で叫んだ。

「はぁ⁉　何言ってんだ！　内通者探してんのはこっちだぞ！」

『でも武藤はお前だと思い込んでる。それをお前自身が否定したもんだから焦れて、確たる証拠も見つけられないまま警察にたれ込んだみたいだな』

「冗談だろ！　話が面倒になるじゃねぇか！」

『残念ながらは現実はもっと面倒だ。武藤がたれ込んだことをうちの社長が嗅ぎつけた』

和希は目の前に百瀬がいるわけでもないのに体を前のめりにし、強く携帯を耳に押しつけた。百瀬の言うことがつまりどんな面倒事に繋がるのかよくわからない。

『武藤がそんな情報を摑んでたってことは、俺が武藤と内々にやり取りをしてたんじゃないかとうちの社長は疑ってる。こうなると、今度は俺が裏切り者の内通者だ』

百瀬は大したことでもなさそうに言うが、聞いている和希の顔は見る間に青褪める。

「百瀬……お前今、どこにいるんだ……？」

『とりあえず鬼頭組の外には出たが、その辺を組の奴らがうろうろしているから見つかるのも時間の問題だろうな』

取るものもとりあえず出てきたんだがな、と電話の向こうで百瀬がのんびりした声を上げる。実際公衆電話から連絡をしてきたということは、携帯を持っていく余裕もなかったということだ。声の調子で判断するよりずっと事態は切迫しているのだろう。

『お前ももうすぐ上の連中に呼び出されて説明を迫られるぞ』

からかうような百瀬の口調にはこの状況を面白がっている節も感じられ、どうしてそんなに悠然と構えていられるのかと和希は汗ばんだ手で携帯を握り直した。

「俺のことなんてどうでもいい……！　それよりお前は……！」

『俺は社長に見つかり次第取引に駆り出されるだろうな。バイヤーは鬼頭組じゃなく俺と契約を結んでる。俺がいないことには取引が成立しない』

「取引……今夜になるのか？」

可能性は高いな、と相変わらずゆったりと答え、百瀬はこうつけ足した。

『きっとこれが、俺の最後の仕事になる』

ギシリ、と手の中の携帯が軋んだ音を立てた。百瀬の言う『最後』の意味がわからない。わからないながらも百瀬のこの落ち着き方は、もしかするともう何もかも諦めてしまっているからではないかと思った。たちまち背骨を抜き去られてしまったかのように体が支えを失い、和希は目の前のハンドルにすがりつく。

「百瀬、頼むから……頼むからすぐにそこから逃げろ。どこでもいい、警察に飛び込んで、これまでのこと全部話して保護してもらえ、ヤクザなんて今すぐやめろ……！」

どうしようもない不安と動揺に揉《も》まれながら和希が口早にまくし立てると、電話の向こうで百瀬が小さく笑った。

『だから、ヤクザをやめたらお前、俺のものになるのか?』

こんなときまで和希の訴えをはぐらかそうとする百瀬に、和希は強く奥歯を噛みしめた。命の保証もない危険がひたひたと迫っているのは百瀬の方なのに、どうして自分ばかり必死になっているのだろう。

和希はハンドルに額を押しつけ携帯を握りしめる。目を閉じれば、初めて高校の屋上で会った百瀬の顔から、十数年後に再会したサングラスをかけた顔、車の中や観覧車の中や、最後にホテルで会ったときに見た凍《こご》えた表情まで、一気に瞼の裏に蘇った。

和希はハンドルに額を当てたまま瞼を上げる。

受話器の向こうには百瀬の気配。

このまま手をこまねいていたら、電話の回線を切るようにぶつりと百瀬の存在が消えてしまうかもしれない。そう思ったら、腹の底から、欲しい、と思った。

たった今、電話の向こうで自分の返答を待っているだろう男をどうしようもなく自分のものにしたくなった。このまま百瀬を失うなんて絶対嫌だ。きっと今手の届くところに百瀬がいたら、足を繋いででも安全な場所に引きずり込んで、諦めたような口調を改めるまで何度でもやり直せと迫ったに違いない。

けれどそれができないから、代わりに和希はきっぱりとした口調で言った。

「やる」

短すぎる言葉は即座に百瀬に伝わらなかったらしい。回線越しに静寂が流れ、百瀬が何か言う前に和希は一気に言葉を押し出した。

「俺でよければお前にやる。全部持ってけ。そんなもんでお前が戻ってきてくれるなら、俺は全然構わない」

言い終えても、受話器の向こうからはしばらくなんの返答もなかった。

あまりに沈黙が続くので、このまま無言で電話を切られてしまうのではないかと不安に思い始めた頃、ようやく百瀬が小さく笑う気配がした。

『……お前の情熱には負けるよ』

和希の言葉を冗談ととったのか本気と見たのか百瀬の声音から推し量ることは難しく、和希は焦れた思いで唇を噛む。そんな和希とは対照的に、百瀬は機嫌よさ気に笑って続けた。

『本当はもうサツに義理立てする必要もないんだが……そうだな、お前にだけは……。取引場所は、もうお前に教えてある』

不可解な百瀬のセリフに、和希は眉根を寄せた。

取引場所ならすでに警察側でも把握しているというのに、その言い草ではまるで和希だけが知っているようではないか。もしやこちらで摑んでいる場所とは違うのだろうか。だが和希には、百瀬から具体的な場所を指示された記憶がまるでない。

どこのことを言っているのだと和希が問い詰めようとしたそのとき。

受話器の向こうで、百瀬が笑った。

『そうだな、俺も……お前とアンパン食いながら、張り込みしたかったよ』

屈託のない、笑いを含んだその声に和希の動きが止まった。

目の前に、青空の下で笑う学生服の百瀬が現れた錯覚。だがそれは一瞬でかき消え、耳元でガチャンと受話器が置かれる音が響いた。

「おい……おい、百瀬？」

我に返って呼びかけてみるが、受話器の向こうからは無情にも機械音が鳴るばかりだ。

百瀬は公衆電話から連絡を入れてきたのでこちらからかけ直すことはできない。駄目もとで百瀬の携帯に電話をかけるがこれも繋がらず、苛立ってハンドルを拳で殴りつけたら同じタイミングで外から運転席の窓ガラスを叩かれた。

顔を上げると、ドアの外に強張った顔の芝浦が立っていた。芝浦は厳しい表情を浮かべ、来い、と指を動かして和希を促す。

「中で課長がお呼びだ。用件は……わかってるか？」

ドアを開けた途端芝浦に尋ねられ、和希は青白い顔で頷く。きっと百瀬のことだろう。

本音を言えば今すぐにでも百瀬を追いたかったが、まずどこへ向かえばいいのか見当もつかない。電話も繋がらない今、自分にできることなど何もなく、和希は重い足取りで署内へ入った。

芝浦の後に続いて会議室に入ると、いつかのように部屋の奥に課長の姿があった。他の署員の姿はなくガランとしたその部屋で、課長は和希が近づいてくるのを待ちきれなかったのか、自ら椅子を立った。

「日吉、サエキに内部情報を流していたのは、お前か？」

相当気が急いているのか、まだ和希が歩みを止める前に課長が問い質してくる。

予想と違わぬ質問に和希は力なく首を横に振るが、当然のことながらこの程度の問答で課長が大人しく引き下がるわけもない。

「今、署に匿名の電話があった。そいつはサエキとお前がたびたび密会しているのを見たと言っていたが、本当か？」

その点については否定できず、和希は黙って視線を落とす。沈黙は二秒と持たず、鋭い口調で課長に返答を促された。芝浦は和希の斜め後ろに立って何も言わない。

俯いて、百瀬のことを報告するべきだろうかと和希は思う。そうすれば、自分ひとりで行動するよりも百瀬を見つけられる可能性は高くなる。それに今までは取引が予定通り進むよう百瀬のことを黙っていたが、取引が今日になる可能性も出てきた以上、もう隠しておく必要もないのではないか。そう思い至り、和希はようやく伏せていた顔を上げた。

険しい顔で答えを持つ課長に、同じく真剣な面持ちで和希が答えようとしたとき、会議室の扉がノックも抜きで慌ただしく開けられた。

「課長！　鬼頭組から鬼頭とバイヤーの乗った車が出ました！」

広い会議室に、息を切らせて部屋に駆け込んできた署員の声が響き、和希たちは一斉に部屋の入口を振り向いた。

百瀬の予想は的中して、取引が今日に早められたということか。

無意識に、やはり、という顔をしていたらしい。頬に視線を感じて横を向くと、課長と芝浦がジッと和希の顔を見ていた。

長年刑事なんて職についているだけあって、二人共相手の顔色を読む術は長《た》けている。課長は何某《なにがし》かの確信を得たらしく、部屋の入口に向かいながら芝浦に厳しい声をかけた。

「芝浦、日吉を連れてお前も来い。日吉が妙な動きをしないようくれぐれも目を離すな」

はいよ、と気のない返事があったと思ったら、定年間近とは思えない素早さで芝浦に右腕を取られ背中で固定されていた。まるで被疑者扱いだ。

和希がうろたえた声を出すと、芝浦はだるそうに「わかってるよ」と言う。

「お前みたいな単純馬鹿が内通者なんて頭を使う役回りをやり通せたなんて思ってねぇよ。だが今はタイミングが悪い。ちょっと大人しくしてろ」

信用されているのか馬鹿にされているのか判断つきかねる言い草だが、和希も芝浦に手を取られたまま黙って捜査会議室へ入った。

先日、鬼頭が空港へバイヤーを迎えに行ったときと同じく室内は混乱していた。部屋に足を踏み入れるなり課長が「どうなってる！」と声を荒らげれば、周囲から次々と報告の声が上がる。


「ホテルに宿泊していたバイヤーが鬼頭組に入っていったのは十五分ほど前です」

「すでに鬼頭とバイヤーは揃って組を出ています。それぞれ別の車です」

「どちらも追ってるんだろうな！」

「組の前に待機していた捜査員と応援の者が追っていますが、鬼頭とバイヤーの車はそれぞれ別の方向へ向かっているようです」

「取引現場に向かってるんじゃないのか？」

「それが、取引現場とはまったく違う方向へ走っているようで……」


部屋に置かれたスピーカーからは、鬼頭とバイヤーの乗った車を追う捜査員から逐一現在地の報告がある。だが、どちらの位置も警察が把握している取引場所からは程遠い。


「大きく迂回《うかい》して目的地に向かってるんじゃないか？」

「そもそも取引のための移動なのかどうか……また何か別の目的で動いてるんじゃ……？」


和希は部屋の入口付近に立って室内を見渡す。署員たちの顔には戸惑いの色が濃い。以前鬼頭が突然空港へ向かい、取引が早まったのかと大騒ぎをしたものの結局何事も起きなかった前例があるだけに、すぐに動き出すか否か迷いがある。

和希も百瀬から取引が今日になるかもしれないとは聞いているものの、大きな声を上げてそれを口にするにはまだ自信が足りない。百瀬自身、確定事項としてそれを語らなかったからなおさらだ。

そんなとき、スピーカーから雑音混じりの声が上がった。

『鬼頭の車の後部座席に、サエキを確認』

その名を耳にした途端、和希の全身の筋肉が引き絞られるように緊張した。

鬼頭の側に、百瀬がいる。百瀬は身の危険を察して鬼頭組から離れたはずなのに。

もう捕まったのかと思ったら、血の気が引いて後ろに倒れ込みそうになった。それを寸前で踏みとどまって、和希は必死で考える。

武藤組と内密に情報交換をしていたかもしれない百瀬を鬼頭が連れ出す理由はなんだ。百瀬は電話口でなんと言っていた？　バイヤーは鬼頭組とではなく、百瀬と契約を結んでいると言っていなかったか。百瀬がいないことには取引が成立しないと。

思い出した瞬間、和希は不動の確信を得て部屋の正面奥にいる課長に向かい駆けだしていた。和希の腕を押さえていた芝浦も引きずられるようについてくる。

「おいテメェ！　急に走り出すんじゃねぇよ、こっちは老体だぞ！」

「課長、取引の日は今日です、車は取引場所に向かってます……！」

和希は芝浦に後ろ手を取られたまま、極力周囲に動揺を広めぬよう声を潜めて課長に耳打ちする。突然の宣言に眉根を寄せた課長に、今度は反対側から声がかかった。

「課長！　バイヤーの車が相当スピード上げてます！　赤信号を突っ切って、このままだと見失いかねません！」

「鬼頭の車もです！　依然として二台とも別方向に走り続けてます、応援の車はどう振り分けますか⁉」

　次々変わる状況に鋭い舌打ちをした課長に、和希も口早に告げる。

「どちらの車も行き先は一緒です！　だから捜査員をばらけさせないでください！　片方の車さえ見失わなければ大丈夫です！」

　課長は苛立ちと焦りをにじませた顔で和希を振り返ると、自分も声を低くして和希に食ってかかった。

「その情報はどこから仕入れた！　情報源もわからんものを鵜呑みにできるか！」

「サエキです！　サエキがそう言ってたんです！」

「やっぱりお前がこちらの情報をサエキに流してたのか！」

「違います！　サエキは俺の同級生で……」

「だったら鬼頭たちの車が最終的にどこへ向かっているのか言ってみろ！」

　鋭く問われ和希はグッと言葉を詰まらせる。もっとも重要なその部分は自分にもわからず口ごもると、課長は忌々しげに長机を拳で叩いた。

「お前の処分は後だ！　わけのわからんことを言って周りを混乱させるな！」

和希にそう怒鳴りつけるなり、課長は鬼頭たちを追う捜査員を二手に分けさせ鬼頭とバイヤーを追跡するよう指示を出した。

口惜しさに和希は奥歯を噛み締めて深く俯く。その間も芝浦は黙って和希の腕を押さえたままだ。沈黙する二人の前を、署員たちが怒号を上げて慌ただしく通り過ぎていく。

鬼頭の車に百瀬が乗っているのなら、十中八九この後取引が行われる。確信を持ってそう言えるのに、耳を貸してくれる者がひとりもいない。百瀬と内密にやり取りをしていたときも、その場になって情報を開示したところで誰も信じてくれないのではないかと薄々思っていたというのに、結局なんの手も打ってこなかった自分を和希は目一杯罵倒《ばとう》する。

和希がひとり後悔の波に揉まれている間にも、状況は刻一刻と変わっていく。

「課長！　バイヤーを追っていた警察車両が一般車と接触を！」

「車の流れが大きく滞っています！」

「——駄目です、バイヤーの車を見失いました！」

「バイヤーを追っていた車もすべて鬼頭の方へ回せ！　絶対に見失うな！」

課長の怒声に混じって、スピーカーから鬼頭の車を追う捜査員の報告が断続的に入ってくる。力なく項垂《うなだ》れてそれを聞き流していた和希の後ろで、芝浦がぼそりと呟いた。

「……今通りすぎたの、前にお前がひったくりを捕まえた遊園地じゃねぇか？」

自分を罵るので手一杯だった和希は反応が遅れ、一拍置いてからゆるゆると顔を上げた。

頭の中に地図を広げ、芝浦が声を発する直前にスピーカーから流れた交差点の名前を探す。確かにそれは、以前百瀬と訪れた遊園地の前の交差点だ。

和希は首をねじって芝浦を見る。和希がよほど物問いた気な顔をしていたせいか、芝浦は弱り顔で小さく肩を竦めた。

「最近どっかで聞いた場所だなぁと思っただけだよ。俺だって車がどこに向かってるかなんて知るもんか」

「……そう……ですよね」

呟いて、和希は顔を前に向ける。

鬼頭の車は猛スピードで公道を走り続けているようだ。スピード違反は言うまでもなく、赤信号も進入禁止も全部無視して警察車両を振り切ろうとしている。

再びスピーカーから雑音混じりで現在地が告げられ、まだ頭の中に広げたままだった地図を無自覚に辿った和希は軽い瞬きをした。

（……この道、百瀬も走ってなかったか……？）

すぐには確信が持てずスピーカーに耳を傾けていると、ガガッと耳障りなノイズの後、捜査員が口早に『三丁目森林公園前通過』と告げて、下がりがちだった和希の顎がびくりと跳ねた。

その公園なら、遊園地の後に百瀬と立ち寄った。実際車を降りたのは自分だけで、百瀬に言いつけられ飲み物を買ったらすぐ離れてしまったが。

以前百瀬に連れ回された場所の名前がたて続けに上がり、和希の心拍数が急上昇する。

和希は神経を尖《とが》らせてスピーカーから入ってくる情報に耳を傾け、頭の中の地図に赤で線を引きながら鬼頭の乗った車の動きを追った。交差点や大通りや著名な建物の前を通り過ぎるたび、心拍数はますます高まって息苦しいほどになる。

「……海の方へ向かってんのか？」

後ろで芝浦も車の行方に耳を向けていたようで、意外そうな声で言う。

和希は言葉もなく頷く。今や予想は確信に変わりつつある。鬼頭を追う車が海沿いの道へ出た。ゆっくりと南へ下り、途中で海から離れる道に入って。

今、百瀬と立ち寄ったレストランの前を通り過ぎた。

『取引場所は、もうお前に教えてある』

ほんの半刻ほど前、電話口で耳にした百瀬の言葉が蘇り、和希は鋭く息を呑んだ。

（教えてあるって……そういう意味か！）

理解した瞬間、スピーカーから悲鳴のような声が上がった。

『横から別の車に割り込まれました！　組の連中です！』

「ふざけるな！　絶対に見失うんじゃない！」

『駄目です、前の車がまったくスピードを上げません！　もう鬼頭の車が――……！』

スピーカーから入ってくる言葉を最後まで聞かず、課長は悪態をつき椅子を蹴り上げる。ここまで追い詰めていたのに振り切られた。そんな虚脱感が室内に漂う。

今日まで捜査員たちは絶えず鬼頭組とその周辺の動向に目を配っていたが、さすがに今夜の鬼頭の動きは急すぎた。なまじ取引の日時と場所までわかっていただけに多少心に緩みもあったのだろう。そこを見事に突かれた形だ。

課長は大きく肩を上下させて乱れた息を整えると、気持ちを入れ替えたのか続けて次の指示を飛ばそうとする。そんな課長に、和希はもう辺り憚《はばか》らず大声で叫んだ。

「海沿いの倉庫です！　取引場所はそこです！」

追い詰められて額に脂汗を浮かべた課長が、和希の声に反応して首を巡らせる。最早疑いも怒りもなく、焦りだけに揺れる課長の目を見詰め返し、和希は百瀬とどんなやり取りがあったかは一切抜きに倉庫の場所をまくし立てた。どうせ信じてもらえるかどうかもわからないのだから、詳しい説明など後回しだ。言うだけ言うと、後の判断は課長に任せるつもりで和希は課長の顔を見据える。

意志の強い和希の目を見返した課長の目に、わずかな迷いが生じた。バイヤーと鬼頭の乗った車を見失った直後だけに多少心が揺らいだのだろう。

さらにそこに、思いがけない援護射撃があった。

「行ってみましょうよ。どうせだったらこいつも連れて。もしも間違ってたら鬼頭の連中がやったことにして、こいつを海に沈めちまいましょう」

飄々《ひょうひょう》とした口調で不穏なことを言い放ったのは、和希の腕を拘束していた芝浦だ。

こいつ、と言いながら和希を前に押し出した芝浦は、唇の端に微かな笑みを浮かべる。

「内通者かどうかはおいといて、こいつがサエキとつるんでたのは本当ですしね」

思いがけない言葉に驚いて目を見開いたのは、和希だけでなく課長も一緒だ。

「お前……知っていたのならどうして報告を……」

最早怒りも通り越し、力の抜けた声で尋ねる課長に芝浦は人の悪い笑みを見せる。うちの課じゃよくあることでしょうと悪びれもせず答える姿に、和希も開いた口がふさがらない。

いつから勘づかれていたのだろう。まじまじと芝浦の顔を見ていると、何してんだ、と芝浦に軽く膝を蹴られた。

「現場に行きたいんだったら、お前も頭下げろ」

言われて我に返った和希は、課長に向かって膝に額がつくほど深く頭を下げた。

「俺も連れていってください！　戻ったら本当に、どう処分してもらっても構いません！」

課長からはしばらくなんの返答もなく、和希は我慢強く頭を下げ続ける。

ややあってから、ようやく根負けしたような舌打ちが降ってきた。

「ばぁか、戻ってきたらなんて言わず、成果がなければその場で海に落としちまうよ」

和希の腕を解きながら、芝浦が恐ろしい言葉をさらりと吐く。課長が室内にいた署員たちに倉庫へ向かうよう大声で告げ、和希も他の署員に混じって全力で部屋から駆け出した。

麻薬取引より何よりも、今はただ、百瀬がまだ無事でいることを祈りながら。


外灯もまばらな夜の埠頭に、低い波頭が繰り返し押し寄せる。冬の冷たい風に煽られ、ときおり勢いを増す波の音以外は耳に届くものもない。光と音が極端に抑えられたその場所に、遠くから車の音が近づいてきた。

その場を覆う闇を切り裂かぬよう、車はライトを消して倉庫の並ぶ埠頭に猛スピードで入ってくる。自分自身闇を纏ったような黒塗りの車は、耳障りな高い音を立てて急停止すると辺りの様子を窺うようにしばし沈黙した。

波音と低いエンジン音が重なり合い、車のライトが点灯する。

その光に呼応して、少し離れた場所でも車のライトがついた。その後ろにさらにもうひとつ光が灯り、ようやく闇に閉ざされた埠頭に三台の車が息を潜めていたことが判明する。

最初にライトをつけた黒塗りの車に他の二台が近づいてくる。一台はシルバーで、もう一台はメタリックブルーの車だ。三台は互いに鼻面を寄せ合い再び停止する。

まず黒塗りの車の助手席から派手な柄物のシャツを着た男が降りた。髪を短く刈り込み、首元に太い金のチェーンネックレスを光らせるこの男こそ、鬼頭だ。

ライトが眩しいのか、元から細い目をさらに細めて鬼頭がボンネット脇に立つと、シルバーの車からスーツ姿の男が現れた。細身ながらも全体にギュッと締まった印象の男は、浅黒く焼けた頬に上品さを漂わせる笑みを浮かべる。こちらが今回のバイヤーだ。

続いてメタリックブルーの車からジーンズを穿《は》いたラフな格好の男が降りた。男は両手で重た気なジュラルミンケースを持っている。

鬼頭が無言で自分の乗ってきた車を顎でしゃくる。バイヤーはそちらに目を凝らすと満足気に頷いて、ジーンズの男に異国の言葉でケースを置くよう指示を出した。男は言われた通りシルバーの車のボンネットにジュラルミンケースを置き、その場から一歩下がる。代わりに鬼頭が前に進み出て、ぞんざいな手つきでケースを開けた。

ケースの中にはビニールの袋に入った白い粉がぎっしりと詰まっていて、それを見るなり鬼頭は素早くケースの蓋《ふた》を閉めた。

「本物かどうか確認はしねぇよ。アンタのことは信用してるからな」

酒焼けした声で鬼頭が言うと、バイヤーは腰の後ろで両手を組んでにっこりと笑った。

「もちろん、貴方がたを騙したりしたら怖い目に遭いますからね。本物です」

多少の訛《なま》りはあるものの流暢《りゅうちょう》な日本語でバイヤーは答える。鬼頭は唇の端を上げてにやりと笑うと、運転席に座っていた男に目配せした。

鬼頭の車から降りてきた運転手はすぐに車のトランクからアルミのアタッシュケースを取り出し、それを自分の腹の前で開いてみせた。

真っ先にジーンズを穿いた男がケースの中を確かめ、バイヤーを振り返って小さく頷く。バイヤーも頷き返し、腰の後ろで手を組んだまま鬼頭に向かって優雅に頭を下げた。

「契約成立だな」

低く笑いながら鬼頭が呟く横で、鬼頭の運転手が薬の入ったケースを、ジーンズを穿いた男が現金の入ったケースをそれぞれ手にして後ろに下がる。

鬼頭が金の指輪でごてごてと飾り立てた右手を差し出し、握手の意図を悟ったバイヤーも右手を出した、そのときだった。

鬼頭たちの乗ってきた三台の車を、四方から強い光が照らし出した。

真っ暗な埠頭が突然真昼の太陽の下に引きずり出されたような光に包まれる。鬼頭を筆頭にその場にいた全員はあまりの眩しさに目を眇め、慌てた様子で辺りを見回した。

波の音に混じり、ガガッと低いノイズが響いた。続けてスピーカー越しの怒声が夜の埠頭に響き渡る。

『全員両手を頭の後ろにつけてその場に伏せろ！　繰り返す、全員両手を頭の後ろに伏せてその場に伏せろ！』

状況を悟ったのか、鬼頭の顔に驚愕の表情が走った。

鬼頭たちを強烈な光で照らしたのは、三台の車を取り囲む警察車両のライトだ。波音でエンジン音を隠し鬼頭たちの車に近づいた警察車は、今や完全に鬼頭たちを包囲していた。

四人の中で最初に我に返ったらしい鬼頭が運転手を一喝《いっかつ》する。運転手は飛び上がってそれに反応すると、薬の入ったケースを抱え海に向かって走り出した。

現物を確認される前にすべて海に投げ捨て証拠を隠滅してしまおうとしたのだろう。けれど三百六十度警察車に取り囲まれた状態ではどちらを向いても眩しい光に照らし出され、結局運転手は光の輪の中から逃げ出すことができない。

次に動いたのはジーンズを穿いた男だ。男はメタリックブルーの車に乗り込むと躊躇なくアクセルを踏み込んで自分たちを囲む警察車両に突っ込んだ。

埠頭に車同士がぶつかり合う重たい音が響き渡る。けれど警察の車は二重に鬼頭たちを取り囲んでいるため、どんなに目一杯アクセルを踏んだところで二台分の車を押し出すことはできない。すぐさま警察の人間がメタリックブルーの車を取り囲み、あっという間に車からジーンズを穿いた男が引きずり降ろされる。

バイヤーの男はジーンズの男が包囲網に穴を開けることを期待して素早く自分の車で待機していたようだが、警察の鉄壁の守りを目の当たりにして諦めたのか、ハンドルから両手を下ろすと力尽きたようにシートに頭を預けてしまった。

最後に残ったのは鬼頭だ。鬼頭は額の上に腕を当てて目の下に影を作り、必死で辺りを見回している。この期に及んでまだ逃げ場がないか探しているのだ。

その様を、和希は鬼頭たちを取り囲む警察車両の運転席から見ていた。

助手席にはお目付け役の芝浦もいる。課長の指示があればすぐ車を降りて鬼頭たちを確保できるよう身構えつつ、和希は息を殺して鬼頭の車を見詰めた。

(……百瀬がいない)

ここに来る途中で確かに百瀬の姿は確認されているのに、車の中に百瀬がいない。百瀬がいなければ取引は成立しないはずなのに、何か状況が変わったのだろうか。考えるほどに悪い想像しか浮かんでこず、和希はハンドルの上に置いた手を強く握りしめた。

(もしも俺がすぐに百瀬のことを課長に報告してたら、たとえ取引が中止になったとしても百瀬のことは助けられたかもしれない……)

今になってそんな後悔が頭を過《よぎ》った。助けると言っても百瀬を逮捕することになるのは免れないが、それでもこんなふうに命の危機に晒すことにはならなかっただろう。

麻薬売買の現行犯で鬼頭を確保するためには仕方がなかった。そう思う一方で、そんな理由だけで百瀬との接触を周囲に隠してきたわけではなかったことを、この土壇場で和希は自覚してしまう。

本当は、自分はただ百瀬を犯罪者にしたくなかっただけなのではないのか。

百瀬が暴力団に入ったことも、薬の売買に手を染めていることもなかなか信じきれず百瀬の手に手錠をかけることをためらった。学生時代の百瀬の姿が目に焼きついて、あの頃の二人の夢が完全に終わってしまうのが惜しくて、それで百瀬を見逃し続けた。

ただもう少し、昔のように百瀬とじゃれあっていたいなんて、それだけの理由で。

(――……捕まえればよかった)

窓の向こうから聞こえてくる波の音と同じ速度で和希の胸に後悔が迫る。

自分は百瀬の現状を正しく把握して、もっと早く百瀬を保護しておくべきだったのだ。百瀬は親友だから、お互い警察官になる夢を語り合った仲だからなんて現実に目隠しせずに。

(捕まえるべきだったんだ。俺は――……刑事なんだから)

こんなときに思い知る。百瀬は和希に一服盛ったり銃を突きつけたりする反面、本気で和希の前から姿を消そうとはしなかった。和希の背後に警察関係者がいないか執拗なくらいに用心はしていたが、本当にその危険を避けるつもりならまず和希に会おうとしなければ済む話だったのに。なんだかんだと言いながら無防備に和希に背中を向け、武器も持たない両手を気楽に差し出してきたのは、いつか和希に捉えられるのを甘んじて受け入れるつもりでいたからなのかもしれない。

波音の隙間で、『何してんだ』と呆れたように笑う百瀬の息遣いが聞こえた気がして思わずそちらに目を向けたら、前方で鼓膜を裂く轟音《ごうおん》が上がった。

ハッとして和希は視線を前に戻す。和希が一瞬目を離した隙に移動したのか、先程まで車の傍らに立っていた鬼頭が体を半分助手席に入れ、右手を大きく振り回していた。

再び腹の底まで震わせる轟音が辺りに響き、鬼頭の体が大きく揺れる。その右手に、一丁の銃を握り締めて。

　やけになったのか鬼頭は大声で何か叫んでいるが、それは続けざまに上がる銃声でかき消され何を言っているのかまではわからない。

　ふいに鬼頭がこちらを向いて、その手の先で火花が上がった。

「うわっ！」

　車に衝撃が走り、唐突にフロントガラスが白く曇る。とっさに頭を伏せた和希が目を上げると、ガラスに蜘蛛《くも》の巣状のヒビが入っていた。鬼頭の放った弾が命中したらしい。防弾ガラスが施されているため割れはしなかったが、ヒビのせいで格段に視界が悪くなった。

「おいおい、まずいんじゃねぇか、こりゃ」

　死傷者が出かねない事態に、さすがに芝浦の声も緊迫する。まだ百瀬の姿が確認できていない和希は必死で目を凝らすが、この状況では鬼頭の動きもろくに把握できない。せめて音だけでもと運転席のドアをわずかに開けると、それまで間断なく響いていた銃声がふいにやんだ。不審に思った和希はさらに大きくドアを開け、窓越しに鬼頭の様子を窺う。

　ちょうど弾が切れたところだったのだろう。鬼頭は銃を下げて弾を入れ替えているようだ。けれどその間も抜かりなく視線は周囲に向け、威嚇することも忘れない。

　相手は銃を持っている。せいぜい防弾チョッキしか身に着けていない捜査員に、うかつに取り押さえろとは課長も言えない。指示がない以上、捜査員たちも勝手には動けない。

鬼頭が弾を入れ替えている今が千載一遇のチャンスであることはこの場にいる全員がわかっているのに誰も動けない。鬼頭を取り囲む捜査員たちの身が焦燥の火であぶられているのが空気越しに伝わってくる、そんなときだった。

銃声のやんだ夜の埠頭に、高らかな笛の音が響き渡った。

その場を包む緊迫した空気ごと切り裂くその音に、和希は全線神経を集中させた。

長く尾を引くその音は、間違いなく百瀬の指笛だ。

笛の音と共に過去の情景がフラッシュバックする。

屋上で笑いながら交わした百瀬との会話。はしゃいだように響く自分の声。

『それ、なんかの合図に使えそうだよな!』

あのとき自分はなんと言っただろう。犯罪者に拉致されて連絡手段がなくなったとき、それで助けを呼ぼうなんて途方もない話をしただろうか。

百瀬は苦笑して和希の話に耳を傾けていた。そんな大きな事件は滅多に起きないと言いながら。それで自分はむきになって、それで。

『いいから練習しとけって! 犯人を捕まえるタイミングとか、それで合図な!』

記憶が鮮やかに蘇る。そのタイミングを見計らったかのように指笛の音がやんだ。海風が強く和希の背中を押す。百瀬からの合図だと思ったら、考えるより先に足が動いていた。

芝浦の制止の声が聞こえた気もしたが、そのときにはもう和希はひとり鬼頭に向かって走り出していた。気づいた鬼頭が血走った目を見開いて銃口を和希に向ける。

装塡《そうてん》はすでに終わっている。頭が妙に冴《さ》え渡り、そんな確認も容易にできた。撃たれると思うのに不思議と恐怖心はなく、迷わず鬼頭に向かって足が動く。

鬼頭の指が引き金にかかる。わけのわからない罵声と共に再び鬼頭が銃を乱射し始める。そう思われた矢先の出来事だった。

唐突に、派手な音を立てて助手席側の後部ドアが開かれた。

全員の視線がそちらに集中する。鬼頭も間近で上がったその音に驚き、銃を手にしたまま背後を振り返る。その体が完全に後ろを向くより早く鬼頭の車から飛び出してきたのは、黒いコートを纏った百瀬だ。

それまで後部座席で身を潜めてでもいたのか、ドアを蹴り開け地面に転がり出た百瀬が体勢を低くして鬼頭の脇に回り込む。

ためらいなく自分に向かって突っ込んでくる百瀬に脅威を感じたのか、鬼頭が悲鳴のような声を上げて引き金を引いた。

銃声に続き、百瀬の体が後ろにぶれる。真っ白なライトの中に血飛沫《ちしぶき》が飛んで、あと一歩のところまで鬼頭に迫っていた和希はそれを間近で見てしまう。

気がつけば和希の口からも大きな声が上がっていた。それが百瀬の名前だったことに、辺りに漂う残響で自覚する。その声に反応したわけではないだろうが、後ろに仰け反った百瀬は後ろ足を踏みしめて体勢を立て直し、さらに低く身を屈めると下から体全体を突き上げるようにして鬼頭の顎に掌底《しょうてい》を叩き込んだ。

鬼頭の顎が完全に上を向き、グリップを握る指先から力が抜ける。

すべてがスローモーションのようにゆっくりと流れていく中で、よろけた鬼頭と血飛沫を飛ばした百瀬の姿が同時に視界に収まった。

百瀬の体が斜めに傾く。和希は何も考えずそちらに駆け寄ろうとしたが、その直前で百瀬と視線が交差した。

鬼頭ではなく自分を見ている和希に気づいたのか、『何してんだ』と言わんばかりに百瀬は眉を上げ、促すように鬼頭へと視線を向けた。

『お前は刑事だろう』と、軽く胸を突き飛ばされた気分になった。

それらはすべて一瞬の出来事だったが、和希の目は何ひとつ見逃さなかった。言葉もなく自分の本分を突きつけられ、和希は百瀬ではなく、鬼頭に向かって手を伸ばす。

まだ鬼頭の指先に引っかかっていた銃を力任せに叩き落とすと、和希は横から鬼頭に体当たりをした。横ざまに倒れた鬼頭を全身で地面に押さえ込むとすぐに周囲から怒号が上がり、他の捜査員が次々と自分の上から鬼頭を押さえつける。まだジュラルミンケースの中身は確認していないので、銃刀法違反の現行犯という名目で鬼頭の両手に手錠がかかった。倒れ込んだ鬼頭の周囲を多くの靴音が通り過ぎ、辺りはいっぺんに慌ただしい喧騒に包まれる。

鬼頭の手に手錠がかかるなり、和希はすぐさま傍らに伏している百瀬に駆け寄った。

今夜の百瀬はサングラスをしていなかった。青白い頬を晒して背中から地面に倒れ込んだ百瀬は左肩を右手で握りしめている。その指の間から鮮血が溢れていることに気づいて、和希は百瀬の右手の上からさらに強くその場所を握り締めた。

「百瀬！　撃たれたのか！　他には――……」

改めて百瀬の顔を覗き込み、和希は言葉を切った。

百瀬の頬やこめかみには、痛々しい内出血の跡があった。口の端も切れ、唇自体が赤く腫《は》れ上がっている。ここに来るまでに鬼頭たちにやられたのだろうか。抵抗する百瀬を力で押さえつけ、取引が終わったら海にでも投げ込むつもりだったのかと想像したら、背中を氷の塊が伝うような錯覚に襲われた。

無意識に百瀬を呼んだら、不安で声が震えてしまった。

和希の声に反応して、百瀬が色を失った瞼を動かしゆっくりと目を開ける。肩からの出血のせいか青褪めた頬をした百瀬は、子供のように顔を歪めて自分を覗き込んでくる和希に気づくと、思いがけないものを見たとばかり眉を上げ、傷ついた顔に苦笑を浮かべた。

それは十数年ぶりに再会してから見た一番親し気な表情で、不覚にも和希の視界が濁る。

笑ってる場合か、撃たれたんだぞ、傷は大丈夫なのかとたくさんの言葉が喉元へ迫り上がり、けれど声を出したらすべて嗚咽《おえつ》になってしまいそうで和希が何も言えないでいると、百瀬は口元に微かな笑みを残してこう言った。

「屋上で、作戦会議したかいがあったな」

堪えきれず、和希の目から涙が落ちた。

自分だけが宝物のように大切にしていた記憶を、百瀬もまだ覚えてくれていたのだと思った。一緒に刑事になろうと言ったことも、張り込みをしながらアンパンを食べようと言ったことも、指笛で合図を送ろうなんて子供じみた話まで、全部。

「……偉そうに言うな、作戦考えたの俺だけだろ」

涙声で和希が呟くと、先程よりもっとはっきり百瀬が笑った。肩から流れる血が止まる気配もないというのに、心底楽しそうに。

和希は百瀬の肩口をさらに強く摑んで、掠れた声で呟いた。

「……百瀬、一緒に——……」

ゆっくりと百瀬の瞳が動いて和希を見た。その瞬間、和希は自分が何を口にしようとしていたのかわからなくなる。

一緒に刑事になろう、と言おうとしたのか。

それともただ、一緒にいたいと伝えようとしたのか。

言葉もなく互いの目を覗き込んだのはどれくらいの時間だったのか。瞬きをしたら、突然視界に黒い塊が割り込んできて和希の体を押しのけた。

「下がって、彼はこちらで確保させてもらいます」

そう言ったのは本庁から応援に来ていた速水だ。他にも二名、やはり本庁の人間が百瀬を取り囲んで立ち上がらせようとしている。それを見て思わず和希は声を荒らげた。

「待てよ！　そいつ怪我してるんだぞ！　救急車が先だろ！」

「もちろん怪我については適切な処置をしますのでご心配なく」

端から和希に取り合うつもりはないのかごく短い言葉だけ残し、速水は百瀬を自分たちの乗ってきた覆面車に押し込んでしまう。それに気づいた課長が慌てて車に駆け寄るが、早々に車に乗り込んだ速水はやはりまともに相手をせず、車の屋根にサイレンをつけるとけたたましい音を立ててその場から走り去っていってしまった。

あまりにも強引な一連の行為を和希が呆然と見送っていると、課長が腹立たし気に地面を蹴った。

「結局おいしいところは本店の奴らが持っていっちまう！　だったら最初っからうちに面倒な仕事を押しつけるんじゃねぇよ！」

憤懣《ふんまん》やるかたない課長の声を聞きながら、和希は直前に見た百瀬の表情を思い出す。何もかも吹っ切れたようなあの笑顔は、こういう結末が待っていることを予期していたからだろうか。ほとんど抵抗もせず本庁の車に乗り込んだ百瀬はこちらに背を向けていて、その表情を窺い知ることはできなかった。

ほんの一瞬だけ、伸ばした手の先がようやく百瀬に届いたような気がしたのだけれど、あれも気のせいでしかなかったのか。

様々な思いが頭を過り、百瀬の乗った車のテールランプが闇の向こうに紛れてしまうまで、和希はその場から動き出すことができなかった。


連日の激務で寝坊をして、身支度を整えるのもそこそこに外へ飛び出したらコートを忘れたことに気がついた。けれど朝の空気は予想外に温《ぬる》んでいて、走りながら辺りを見回せば道行く人たちも随分軽装になっている。

午前中の仕事を終え昼食をとるため外へ出てみてもやはり日差しは柔らかく、季節が変わったんだな、と和希は思う。最後に百瀬を見たときには厚手のコートを着ていても首を縮めて歩かなければいけないくらい寒かったというのに。

和希は署に戻る途中で立ち止まり、薄い雲がたなびく空を仰いだ。朝から保留状態になっている仕事も、午後一で済まさなければいけない雑務も一時青い空に吸い込まれ、空っぽになった頭の中にフッと百瀬の気配が忍び込む。近頃こんなふうに日常の狭間《はざま》で百瀬を思い出すことが多い。

鬼頭組が検挙され、百瀬が本庁の人間に連行されてからすでに半年が経過していた。

これほどの時間が経ったというのに、未だに百瀬の処遇ははっきりしない。起訴されたという噂も一向に聞かず、何よりまだ百瀬の通り名はサエキのままで、どこまで取り調べが進んでいるのかすらわからない。

考えられるのは、本庁で鬼頭組の余罪の他、豊岡組、武藤組に関する情報を絞り出されているという状況だろうか。百瀬は長く鬼頭組で采配を振ってきたのだから、その上位組織である豊岡組や系列の武藤組とも深い関係があるはずだと考えるのは当然だ。

だとしても、起訴もせずにこれほどの長期間、本庁ではどうやって百瀬を手元に置いているのだろう。青空を見上げぼんやり考えていると、後ろから誰かに肩を叩かれた。

振り返った先にいたのは芝浦だ。芝浦も昼食をとった帰りなのか、つまようじを咥えて気楽に片手を上げる。

「よう新人、今帰りか」

「そうですけど……そろそろ新人っていうのやめてくださいよ」

「新人は新人だろうが。ほれ、署に戻る前にちょっとジジイにつき合え」

それだけ言うと返事も聞かず、芝浦はたった今和希が歩いてきた道を逆方向に歩き始めてしまう。所轄に配属されて一年が過ぎたものの未だに下っ端の和希は、言い返すだけ無駄だと諦めて大人しく芝浦に従った。

和希を引き連れ芝浦がやって来たのは、署から少し離れた場所にある公園だ。平日の午後、公園では子供や母親が遊具の周りに集まっている。

和希と同じく季節を感じる余裕がないらしく初夏にトレンチコートを着込んだ芝浦は、公園の隅のベンチに腰を下ろすと和希に断りもなく小脇に挟んでいた新聞を広げた。

「なんなんですか、こんなところに連れてきて。俺に何か用でもあったんじゃ……?」

「別に用なんかねぇよ。ただ、こうしてひとりで新聞広げてると、あっちの母親連中に白い目で見られちまうからよ。子供になんかされるんじゃないかって過剰反応するんだわ」

言われてみれば、遊具の周りにいる母親の中にはちらちらとこちらを見ている者もいるようだ。それだけの理由で呼ばれたのかと、和希は力なくベンチの背に凭れかかる。

「わかってるなら署内で新聞読めばいいじゃないですか」

「たまには気分転換してぇんだよ。特にこんなに天気のいい日は」

「だからって俺を巻き込まないでください。大体、俺がいたからって不審さが薄れるわけじゃないでしょう。むしろ怪しさ二倍になってる可能性の方が高いですよ」

新聞に目を落としたまま芝浦が咳き込むような声で笑う。無精ひげを生やしてよれたコートを着た芝浦は会社勤めのサラリーマンには見えないし、やたらと顔立ちの派手な和希だってホストか詐欺師にしか見えないはずだ。

そのうち母親たちの方がそそくさと退散していくのだろうと思いつつ、和希は公園の周囲に植えられた背の高い木を見上げた。頭上を覆う枝葉の隙間から、チラチラと午後の陽光が射し込んでくる。目を閉じてその光を瞼で受けた和希は、芝浦が新聞をめくる音に耳を傾けながら静かに口を開いた。

「……芝浦さん、いつから俺とサエキが連絡とり合ってるって気づいたんですか?」

のどかな日差しのおかげだろうか。この半年間、長く尋ねるタイミングを摑めずにいた疑問は和希自身意外なほど簡単に口からこぼれ落ちた。隣にいる芝浦から返ってきたのも、まるで緊張感のない生返事だ。だから和希もなんでもない調子で続ける。

「鬼頭組の取引の日、芝浦さん自分で言ってたじゃないですか。俺が内通者かどうかはおいといて、サエキとつるんでたのは本当だって」

未だにサエキの本名が百瀬であることは署内に浸透していないので敢えてサエキの名を使って言うと、芝浦はやはり気のない口調で答えた。

「お前が遊園地でひったくり捕まえたとき、サエキと一緒にいたからだよ」

「……なんでそのこと知ってるんです?」

「だぁっておかしいだろうが。お前みたいに普段からやかましい奴がひったくり捕まえたのに誰にも言いふらそうとしないなんてよ。こりゃあなんかあるぞと思って、非番の日に遊園地まで行ってみた」

思いがけない芝浦の言葉に驚いて和希は目を開く。途端に強い日差しが目に飛び込んできて、慌てて再び瞼を閉じた。

「敢えて言わないってことは、ひったくりを捕まえようとして逆に捕まえられたとか、なかなか捕まえられずに泣きながら追いかけてたところを一般人に助けられたとか、なんか言うに憚る間抜けな目に遭ったんじゃねぇかってわくわくしながら行ってみたわけよ」

「……悪趣味ですよ、それ」

「今に始まったこっちゃねぇよ。けど警備員に話を聞いたら、ひったくりを捕まえたのはお前ひとりじゃなかったって言うじゃねぇか。もっとよく聞いたら一緒にいた男はサングラスなんかかけて園に入ってきたなんて言うから、もしかしたらと思っただけだよ」

「……それだけの理由で、課長の前で俺とサエキがつるんでたって言い張ったんですか？そりゃ、サエキはいつもサングラスかけてましたけど――……」

「一応遊園地の職員に面通しもしたよ。サエキの写真持っていって」

「そこまでわかってて課長に報告してなかったんですか⁉」

「だってお前が報告してないのに、わざわざ俺が報告してやる義理もねぇだろ？」

悪びれもせず言い放たれて和希は呆れ返る。おかげでギリギリまで百瀬とやり取りができたのだからありがたいと思う反面、警察官のくせに何をしているんだと思わなくもない。

ちなみに、和希が百瀬のことを課長に報告しなかった件については、厳重注意で済んだ。これだけ軽微な罰で済んだのは、きっと銃を乱射する鬼頭に和希が単独で突っ込んでいって、確保に大いに貢献したからだろう。

「で？　なんで半年近く経ってからそんなこと訊いてきた？」

頭上の木の枝がさらさらと揺れて、瞼の上で日射しが動く。目を閉じたままそれを感じながら、和希は囁く声で芝浦の問いに答えた。

「……確認するの、怖かったんです。もしかしたら芝浦さんが、百瀬に内部の情報を流してた内通者だったんじゃないかって思って……」

和希の言葉が終わるのを待たず、芝浦がハッと鼻で笑う。

「新人の考えそうなこった」

「それに芝浦さん、サエキと同じこと言ってたんです。暴力団は最後のセーフティネットだって。警察官のくせに暴力団を擁護するようなことを言うのも不思議で……」

ふぅん、と今度は多少興味を引かれたような返事があった。

「別に擁護してるつもりもねぇよ。ただ……昔な、借金まみれになって死にかけてる一般人を街で拾ったことがあってよ」

前触れもなく始まった昔話に、和希はうっすらと目を開ける。今度は直射日光をもろに見てしまうこともなく、日射しを透かす木々の枝が遠くに見えた。

「まだお前とそう年も変わらなかった頃の話だ。組の連中となかなかつてが作れなくて焦ってた俺は、街で拾った一般人のそいつを手近な組に送り込んだ。適当に情報を摑んで警察に流してくれたら悪いようにはしねぇよってな」

ところがよ、と芝浦は普段と変わらぬ調子で続ける。

「予想外に組の中は居心地がよかったのか、そいつはあっという間に組織に馴染んだ。街の隅っこで死にかけてたのが嘘みたいに顔に生気が戻って、子供まで作っちまいやがった。一応俺にも恩を感じて情報を流してくれたが、組の中にも世話になった人間はたくさんいるからってんで、少しずつ口は堅くなってな、代わりに身の上話をしてくれた。街金で借金まみれになって、朝も夜もなく取り立て屋に追い回されて、実家にまでそいつらが来たもんだから親御さんが車で海に飛び込んで、その生命保険で借金返済したってな。俺とそいつが会ったのは、ちょうど親御さんの葬式が終わった直後だったらしい」

和希はようやく隣の芝浦に顔を向ける。芝浦は広げた新聞に視線を落としたままで、過去を語る声も、そこに書かれた文字を読み上げるかのように淡々としている。

「でもな、実はそいつを借金まみれにした街金を取り仕切ってたのが、俺がそいつを送り込んだ組だったんだよ。言ってみれば親の仇みたいなもんだ。そんなところで生き生きと働いてた自分に気がついて、でも組の人間に対する恩義も捨てられなくて、そいつは悩んで悩んで、結局首くくっちまった」

もう、何十年も前の話なのだろう。

当時そこにあった感情などすべて風化しているかのような乾いた声で言って、芝浦はこんなふうにその話を締めくくった。

「世間からはじき出された人間を、組の連中がそんなに手厚く扱うなんて思ってもなかった。組で働くことがそいつの生きがいになるなんざもっと思わねぇ。それでうっかり考えちまったわけだ。こっちの思惑だけで一般人を手駒にしようとした俺と、ひとりの人間に生きがいまで与えてやれたヤクザと、どっちが世の中にふさわしくないんだろうってな」

公園内を、柔らかな風が吹き抜けていく。

俯いて新聞を読む芝浦の横顔に、真上から降ってくる木漏れ日が落ちる。日の当たる明るい場所と、影になった暗い場所。光と影がまだらを作るその横顔を和希は黙って見詰めた。目を伏せて新聞の文字を追う芝浦の横顔からはどんな激情も伝わってこないが、警察という組織にいながら暴力団を完全に悪と見なせなくなる程度には当時の芝浦も悩んだのだろう。常日頃芝浦が和希に対して口にする、深入りするなという言葉が俄然重みを増してくる。

黙り込む和希の前で芝浦はゆっくりと新聞をたたみ、思い出したようにつけ足した。

「あと、サエキと俺がおんなじこと言ったってのはな……半年前、鬼頭組のヤマがうちに回ってきた頃、でかい組の組長がひとり出所しただろ。ほら、関西を拠点にしてる」

物思いに耽《ふけ》りかけていた和希は我に返って頷く。芝浦が言っているのは全国でも屈指の指定暴力団だ。半年前に組長が出所し、その直後に新聞のインタビューに答えて話題になった。暴力団の組長が公の場でコメントを発表するのは相当に珍しいことだからだ。

「暴力団は最後のセーフティネットってのは、その組長が言ったセリフだよ。新聞にも掲載されて、結構有名になった言い回しだ」

もっと新聞読め、と丸めた新聞で芝浦が和希の頭を叩く。

パコッと小気味のいい音がして首を竦めた和希は、今度こそ体の芯から力を抜いて天を仰いだ。半年間胸に凝っていた芝浦に対する疑いが、青空の下でようやく溶けた気分だった。

「……結局、内通者って誰だったんでしょうね？」

「知るかそんなこと。また妙なことに首突っ込むと課長に仕事増やされるぞ」

一時は内通者探しを任命された和希と芝浦だが、鬼頭組が検挙され、百瀬も本庁に身柄を拘束されて、うやむやのうちにその任は解かれた形になっている。

確かにその話を蒸し返してまた同僚に冷たくあしらわれるのもごめんだと、芝浦に続いて和希もベンチを立った。

のんびりとした歩調で署に戻る芝浦の後ろを同じくゆるゆると歩きながら、和希は百瀬のことを考える。百瀬のことは普段なるべく意識の外に出しているが、今日はさすがに難しい。

今頃百瀬はどこで何をしているだろう。

知りたいと思う。会いたいと思う。せめて声だけでも聞けたらいい。

一度そんな想いを自覚してしまえばきりがない。記憶は次々蘇る。

十数年ぶりに再開した風俗店から、一服盛られたラブホテル、焼きそばを食べた遊園地の売店に、押し倒されてキスをされたホテルの一室。

そして息を合わせて鬼頭を取り押さえた夜の埠頭。

思い出すのは学生時代の百瀬ではなく、再会してからの百瀬ばかりだ。

未練がましいとは思いつつ、和希は今だけそんな自分を許してやる。どうせ署に戻れば、まとまった睡眠時間を確保するのも難しい激務の日々が待ち受けている。せめて署に到着するまでの数分間ぐらい、たっぷりと百瀬との思い出に浸っていよう。

芝浦が何か話しかけてきたらそれも中断しようと思っていたが、芝浦は察したように口を開かず、署に戻るまで背後を歩く和希を振り返ることもしなかった。


定時を過ぎても帰れる気配はなく、今日が日勤だったか当番だったかの判断もつかない状態でデスクワークを続けていると、毎日毎日よくもこんなに犯罪が尽きないものだと改めて東京の治安の悪さを実感する。たとえ税金泥棒と言われても警察は暇な方がいいよなぁと和希がしみじみ思っていると、急に課のフロアがざわつき始めた。

夕食も食べ損ね疲労困憊《こんぱい》していた和希は、緩慢な動作で顔を上げる。皆の視線の先を追えば、黒いスーツを着た集団がゾロゾロと課長の机に向かって歩いていくところだ。

整然と列を作って課長の席の前に立ったのは四人。全員がスーツを着た男性で、しばらく眺めてようやくそれが鬼頭組の一件で所轄に応援に来ていた本庁の人間だと気づいた。先頭には速水の姿もある。

(……そういえば、内通者は速水じゃないかって疑ったこともあったっけ)

半年前のことを思い返し和希は机に頬杖をつく。一度街で百瀬を尾行している速水を見たことがあったが、それを速水に告げたら全力で否定され腑に落ちない思いをしたものだ。

「今更本店の皆さんがうちになんの用ですかねぇ」

和希が呟くと、隣の席で珍しく事務仕事をしていた芝浦も大儀そうに顔を上げた。

「鬼頭組の件でなんか報告にでも来たんじゃねぇか?」

「それにしたってよく平気な顔してうちに来られましたよね」

室内を見回すと、その場にいる署員のほとんどが敵意のこもった目で速水たちを見ている。鬼頭組の麻薬取引の件こそ所轄の手柄になったものの、肝心のサエキの身柄は本庁に横からかっ攫《さら》われてしまったのだから当然の反応だろう。

(あ、もしかしてあいつらに訊けば百瀬の居場所がわかるんじゃ……?)

ふいに思いついたそれに目を輝かせた和希だが、すぐさま思い直して首を横に振った。半年前、肩を撃たれた百瀬を車に押し込んだ速水たちの冷徹な対応を見る限り、彼らが所轄の刑事の言葉をまともに聞いてくれるとは到底思えなかった。

それでも少しくらい話の通じそうな者はいなかったかと速水の横に並んだ面々に視線を移し、あれ、と和希は首を傾げた。本庁から応援に来ていたのは速水を含め三人だったはずなのに、課長の前に立っているのは四人だ。

和希の座る場所からは後ろ姿しか見えないが、右端にいる速水の隣に立つ人物も、その隣に立つ人物もシルエットに見覚えがある。ならば左端にいるのは誰だろう。

左端に立つ人物は和希に対し心持ち体を斜めに向けていて、わずかに横顔を見ることができる。少し長めの髪を後ろに撫でつけ、銀縁の眼鏡をかけているようだ。細身で神経質そうな速水とは対照的に肩幅が広く、重厚で落ち着いた雰囲気がある。

和希はぼんやりと瞬きをする。その人物が半年前に本庁から応援に来ていた者でないことはわかるのに、なぜか斜め後ろから見る横顔に見覚えがある気がしてならない。

長く見詰め続けていると、和希の視線に気づいたのか左端にいた人物がこちらを向いた。

鼻の高い横顔が露わになり、眼鏡の向こうから切れ長の目がこちらを見る。シャープな印象を受けるなかなかの美丈夫だ。顔の造作が整いすぎて少々近寄り難い雰囲気すらある。

頬杖をついてそんなことを考えていたら、頭の中で靄《もや》のようにわだかまっていた絵が線を結び、直後和希はばね仕掛けの人形のように勢いよく椅子から立ち上がった。

仕立てのいいスーツを端正に着こなし、乱れなく髪を後ろに撫でつけ、洒落《しやれ》た眼鏡をかけて当たり前の顔でそこに立っていたのは、百瀬だ。

勢いがつきすぎて和希の椅子が後ろに倒れ、派手な音に室内の視線が集中した。課長の机の前に立っていた百瀬も体ごとこちらを向いて、和希が大きな声でその名を呼ぼうとした瞬間、百瀬は他の者の目が自分に向いていないことを確認して、唇の前で人差し指を立てた。

黙っていろ、とでもいうようなその仕草に、つられて和希も言葉を呑む。ごくりと喉を上下させた和希を見て、見慣れない銀縁の眼鏡をかけた百瀬は薄く目を細めた。

「どうした新人、うたた寝でもしてたか」

芝浦に声をかけられ、和希は百瀬から目を逸らせないままひっくり返った椅子を直す。百瀬は何事もなかった顔で課長と向き合っていて、課長も百瀬を見てもなんの反応も示さない。目の前にいるのが長いこと追いかけていたサエキと気づいていないのだろうか。

(……でも、わからないかもしれない)

常にサングラスをかけ前髪を下ろしていた百瀬と、エリート然とした態度で課長の前に立つ百瀬はまるで雰囲気が違う。姿勢も表情も身のこなしも別人だ。和希でさえ一瞬見逃しかけたのだから、サエキを名乗っていた頃の百瀬を解像度の低い写真でしか見たことのない人間なら、すぐには気づかなくて当然かもしれない。

(でも、なんであいつこんなところに……？　しかも本店の奴らと一緒に)

本庁から所轄に護送されてきた、という様子ではない。現に百瀬は手錠も何もかけられておらず、むしろ速水たちと同列に扱われているようだ。

状況が理解できず口を半開きにする和希の前で、百瀬を含めた速水たちは課長に一礼をして踵を返す。速水を筆頭に部屋を横切る四人に、再び室内の視線が集中する。

和希も列の最後を歩く百瀬を注視するが、百瀬は和希に一瞥もくれず部屋を出ていってしまう。後を追おうと席を立つと、スーツの内ポケットに入れていた携帯電話が震えた。習慣で、とっさに和希は携帯を取り出しディスプレイを確認する。届いていたのはショートメールだ。本文は一行、『署の側の公園で待ってろ』。

ショートメールなので差出人欄にはメールアドレスではなく電話番号が表示される。数字の羅列を目で追って、和希は心臓を跳ね上がらせた。

署から支給された携帯には登録できず番号を暗記していたそれは、百瀬の携帯番号だったからだ。


昼間芝浦と共に訪れた公園は、日中とは打って変わって閑散としていた。

和希は公園の隅にあるベンチではなく、園内を照らす照明の側にあるブランコに腰を下ろして百瀬を待っていた。暗がりに紛れて百瀬に見落とされぬよう配慮したためだ。

ときどき足の裏で地面を蹴って小さくブランコを揺らしながら、和希は一時間ほど前に見た光景を何度も思い返す。

（……あれ絶対、百瀬だったよな？　別人じゃないよな？）

本当なら部屋を出た百瀬をすぐにも追いかけたかったが、直前に唇の前で人差し指を立てられたのとメールが届いたことでなんとか思いとどまった。とはいえこうして一時間も待ちぼうけを食らっていると、やはりあのとき追いかけた方がよかったのではないかと悔やまずにはいられない。

和希がもう何度目になるかわからない溜息をついたとき、公園の隅の暗がりで重たい靴が砂を擦る音がした。

微かな音に鋭く反応し、和希は素早く立ち上がる。音のした方に体を向けると、闇の向こうからゆっくりと長身の男が姿を現した。

「悪かったな、待たせて」

人気《ひとけ》のない園内に響いた低い声に、和希の背筋が震え上がる。

大きな感情の起伏も見せず、毎日顔を合わせている同僚に対するように和希に声をかけてきたのは百瀬だ。

ゆっくりと近づいてくるその姿を見詰め、和希は力なくブランコに腰を下ろした。あまりにも百瀬が普段通りの顔をしているので、半年ぶりに再会した感動を上手く表現できない。

百瀬の靴音とブランコを吊るす鎖の錆びた音の隙間で、和希は力の抜けた声を上げた。

「百瀬……お前、なんで……？」

我ながら間の抜けた質問だとは思ったが、他に言葉が出てこなかった。

どうして所轄に来たのか、どうして速水たちと一緒だったのか、もう起訴はされたのか、この半年間どこで何をしていたのか。

訊きたいことがありすぎて、どれから言葉にするか順番をつけることも難しい。結局漠然とした問いかけしかできなかった和希の前で立ち止まると、百瀬はその質問に答える代わりにスーツの胸ポケットから一冊の手帳を取り出した。

見慣れた黒い縦開きの手帳を、百瀬が自分の顔の横で開く。そこには銀の眼鏡をかけて髪を後ろに撫でつけた百瀬の写真と、百瀬のフルネームが明記されていた。

正直わけがわからなかった。百瀬がかざしているのは正真正銘、警察手帳だ。

言葉も出ない和希を見下ろして、百瀬は唇を綺麗な弓形に曲げた。

「本庁組織犯罪対策五課所属、百瀬正臣《まさおみ》です、とでも言えばいいか？」

「え……五課って、麻薬……えっ⁉」

ギョッとして目を見開く和希を見下ろし、百瀬はおかしそうに笑って手帳を閉じた。ついでに銀縁の眼鏡を外し、後ろに撫でつけていた髪も片手で無造作にかき崩す。途端に百瀬の纏っていた四角四面なエリートらしさが消え、かつて鬼頭の片腕としてどっぷりと裏の世界に浸っていた雰囲気があっという間に百瀬を包み込んだ。

そこまでされてもまだ的確な質問が浮かばずパクパクと口を動かす和希に苦笑して、百瀬は決定的な一言を告げた。

「潜入捜査員。ここまで言えばわかるか」

ヒュッと和希の喉が高い音を立てる。驚きすぎて声も出なかった。目を見開いて百瀬を指差すが唇すら動かない。再会してからの百瀬とのやり取りが怒濤《どとう》のように蘇る。

百瀬は和希と会うときはいつも他に警察関係者がいないか執拗なくらい疑っていたし、警察を憎んでいると身も凍るような声で呟いた。あれが演技だとはとても思えないし、暴力団以外救ってくれる者がなかったと言ったあの乾いた声だって真に迫っていた。暴力団は最後のセーフティネットだと言われたときなど返す言葉もなかったくらいなのに。

（でも、セーフティネット云々《うんぬん》はどっかの組長が新聞のインタビューで言ってたとか……）

いかにもヤクザらしく見えるよう組長の言葉を引用したのだろうか。その他もろもろの言葉も誰かからの借り物だったのかもしれないと思ったら、カッと頭に血が上った。

「全部人を騙すための嘘だったのかよ！」

百瀬の歩んできた凄惨《せいさん》な過去を思って胸を痛めていた自分が馬鹿らしく、和希は今にも摑みかからんばかりの勢いで百瀬に詰め寄る。けれど百瀬は落ち着き払った態度を崩さない。

「全部が全部嘘ってわけじゃない。むしろほとんど本当のことだ。いいから座れ」

言いながら、百瀬は二つ並んだブランコの一方に腰を下ろす。

和希としてはとてもすぐには冷静になれそうもなかったが、全部説明してやるという百瀬の言葉に負けて渋々ブランコに腰を下ろした。

「親父が自殺したのも、遺書のことも、警察学校を中退して街でチンピラまがいのことをしてたことも、そんな俺に唯一手を差し伸べてくれたのが組の人間だったことも、しばらくして苗字の変わった叔父が訪ねてきたことも、全部本当だ」

和希が座るのを待ってからそう口にした百瀬に、和希は眉根を寄せた。

「だったらほとんど本当のことだろ」

「叔父が訪ねてきた後が少し違う。叔父は単に俺の近況を知りたくて来たわけじゃない、警察に戻る気はないかと訊いてきたんだ」

膝の上で肘をつき、百瀬は前に身を乗り出す。その横顔に、和希は困惑の声をかけた。

「でも……親父さんがあんな事件起こした後じゃ……」

「まぁ難しいだろうな。警察って組織には、三親等内の身内に犯罪者がいると警察官にはなれないなんて噂もあるくらいだ。そうでなくても当時はもう俺自身が暴力団関係者だったんだから、警察官になんてなれるわけがない」

言われてみれば、父親のことよりそちらの方が問題だ。ならば先程見せられた警察手帳はなんなのだと考え込む和希に、百瀬は焦らさず答えを示す。

「潜入捜査官として暴力団に入り込んでいたことにすれば警察に戻れるかもしれない、そう言われたんだよ。警察学校は中退したんじゃなく、優秀な成績を叔父に見込まれ、卒業を待たず叔父の部下として秘密裏に引っこ抜かれたってことにしてな」

「そんなむちゃくちゃな話がまかり通るか……？」

前を向いたまま、瞳だけ動かして百瀬が和希を見る。その口元に薄い笑みを浮かべ、百瀬は夜の闇に紛れ込ませるように小さな声で囁いた。

「お前が思ってるより、警察ってとこはむちゃくちゃなことがまかり通る場所らしいぞ？」

その最たる例とも言うべき百瀬を前に、和希はぐうの音も出ず黙り込む。

百瀬は小さく笑うと再び視線を前に戻した。

「本庁の組対五課にいる叔父に協力してれば、いずれは本庁の刑事として警察に戻れるなんて言われてな。でも、前にも話した通り叔父は苗字も階級も変わって……特に苗字が変わってたのがな。親父を切り捨てたみたいで、なんだかとんでもなく、腹が立った」

淡々とした口調で、けれど実に素直に百瀬は当時の心境を語った。その横顔は凪いでいて、少し雰囲気が変わった、と和希は思う。いつかホテルの一室で叔父のことを語ったときはもっと内側に深い憤怒をたぎらせていたのに、今や百瀬は何かを吹っ切ったかのように静かに当時のことを語る。

「だから一度は叔父の話に乗った振りをして、いつか手酷く裏切ってやろうと思った。ガキくさいとは思うが、あのときは本気でな」

自嘲《じちょう》気味に笑い、百瀬は過去を眺める遠い目をする。

百瀬は最初、道端で薬を売る売人や違法ドラッグを扱う店の摘発に協力し、着実に実績を積んでいったらしい。堅実な働きは数年にも及び、叔父の信頼も揺るぎないものになって、いよいよ大掛かりな取引を摘発するため鬼頭組に潜入することになったそうだ。

鬼頭組に潜り込んだ百瀬は、叔父からもたらされる警察内部の情報を頼りに鬼頭組の麻薬取引を次々と成功させる。一方で、百瀬が警察関係者であることは警察内でもごく一部の者しか知らないため、自分に伸びる捜査の網は必死でかい潜って徹底的に身元を隠した。

そうして組の中で確固とした地位を築き大規模な取引を任されるまでになったら、そのときこそ警察に寝返って鬼頭組を検挙する。叔父と立てたのはそういう計画だったらしい。

「でも俺は、最後の最後で叔父を裏切った。叔父を筆頭に本庁の五課が時間と人を最大限に割いて検挙しようとした取引を、まんまと成功させたんだからな」

それこそが、一度は本庁で手掛けたものの失敗し、後に和希たちの所轄に回ってきた鬼頭組の一件だ。

「いっそそれで叔父の首が飛べばいいと思ってたんだが、そうはならなかった。それどころか叔父は純粋に俺が失敗したと思い込んで、もう一度チャンスを与えてきた。さすがにもう自分の手で同じ事件を扱うことはできなかったんだろうが、所轄に場所を移して、本庁から応援って形で自分の信頼する部下まで置いてな」

本庁の応援と聞いて、和希の脳裏に速水の顔が浮かんだ。

速水たち本庁の応援部隊が百瀬と繋がっていたのなら、速水が百瀬を単独で尾行していたのも納得がいく。やはりあれは何か情報のやり取りをしようとしていたのだろう。

速水が百瀬の尾行を否定したのも当然だ。本庁の刑事と百瀬の繋がりなど絶対明るみには出せないのだから。

不可解な点が見る間に頭の中で線を結ぶ。驚愕の表情を浮かべたきり動けない和希を見て百瀬はおかしそうに笑った。

「お前が急に俺の親父のことを嗅ぎ回り始めたもんだから、何か勘づかれたんじゃないかと肝を冷やしたって速水が言ってたそうだ」

言われてみれば、和希が芝浦に百瀬の父親のことを訊いていたら横から速水が割り込んできたことがあった。確かにそれは焦っただろうと頷いてから、和希は怪訝な顔になる。

「お前……俺のことは叔父さんに言ってなかったのか？」

それまでひた隠しにしていた自分の身元がばれてしまったのだから、当然真っ先に報告すべきことではないかと和希が疑問の目を向けると、百瀬は無言で何度か頷いた。

「……本来は言うべきだったんだろうな。でも俺は、半年前のあの取引も成功させる気でいたんだ。徹底的に叔父を裏切ってやるつもりだった」

「おま…っ…そんなことしたら警察に戻れなくなるだろうが！」

すでに百瀬が警察に戻っているのも忘れて声を荒らげた和希を、百瀬は鼻先で笑い飛ばす。

「親父を殺した警察に、誰が好んで戻りたいなんて思う」

ひやりとした口調に怯《ひる》んで口を噤み、和希は横目でそっと百瀬の表情を窺った。

やはりまだ、百瀬は警察を恨んでいるのだろうか。視線に気づき、百瀬も黙ってこちらを向く。

百瀬の目には怒りも軽蔑《けいべつ》も混ざっていない。ただ真っ直ぐに和希を見て、百瀬は言った。

「警察なんてろくなもんじゃないと思ってたんだが……お前を見てたら、気が変わった」

「お……俺？」

百瀬の目がいつまでも自分を捉えて離さないものだから、そちらに向けている頰が熱くなってきたようで和希は慌てて目を逸らす。和希の動揺を知ってか知らずか、百瀬は膝の上で頰杖をつくと緩く笑って、お前、と繰り返した。

「学生の頃、馬鹿っぽい理由で警察官目指して、実際警察官になって、未だになんのドラマの影響かと思うような青臭いことやってるお前が面白かったから」

「わ…っ…悪かったな！　いくつになっても馬鹿っぽくて！」

「いや、馬鹿にしてるわけじゃない。暴力団関係者に真顔で一緒に刑事がやりたいなんて言える純粋さに感服しただけで」

「やっぱり馬鹿にしてんだろ！」

ブランコを吊るす鎖を握りしめて和希が声を荒らげると、横からふいに百瀬の手が伸びてきて、握りしめた鎖ごと和希の手を包んだ。

跳ね上がった心臓の音を、鎖の軋む音が隠す。

ブランコに腰かけたまま身を乗り出した百瀬は、和希の顔の近くで囁いた。

「俺は警察の人間だけど、俺個人はお前を裏切らない。お前、そう言っただろう？」

和希は百瀬に横顔を向けたまま声もなく頷く。手の甲からじわりと百瀬の体温が伝わってきて、心臓が痛いほどに高鳴った。

「本当は、今だって警察はろくなもんじゃないと思ってる。でもお前が必死の形相であんなこと言うもんだから、その中にいる人間は信じてもいい気になった。お前のことも……叔父のことも」

「……それで、警察に戻ってきたのか……?」

百瀬の声が近い。横を向いたらすぐ側に顔がありそうで、和希は急にそちらを向けなくなる。至近距離で百瀬の目を見てしまったら、これまで抑えてきたものがいっぺんに溢れてしまいそうで怖かった。

「そうだ。信じたから戻ってきた」

言葉と共に強く手を握られ、さすがに目を背けていられなくなった。ぎこちなく首を巡らせると、思った通りそこには身を乗り出した百瀬の顔があり、動けなくなる。

学生時代と変わらない、百瀬の秀麗な顔に密やかな笑みが浮かぶ。声は一層潜められ、和希の手を握る指先にまた少し力がこもった。

「——……俺が警察に戻ったら、俺のものになってくれるんだろう?」

これまでも何度か耳にしたことのあるセリフに、なんだよそれ、と慌てるより、またそれか、と呆れるよりも、耳が熱くなった。

硬直する和希を、百瀬は至近距離から見詰めて動かない。その目元や唇には面白がるような笑みが浮かんでいるが、和希の手を握る指先にはしっかりと力が込められたままだ。

和希は息をするのも忘れて百瀬の目を見詰め返す。

赤くなった耳は、きっと夜の闇が隠してくれるだろう。だからここで和希が怒るか笑うかすれば、この会話はすべて冗談になる。百瀬も二度と同じ話題は振ってこない。そんな予感が強く和希の胸を揺さぶった。

（……男同士だ）

和希は百瀬から目を逸らせないまま、最後の悪あがきをしてみる。

自分も百瀬も男だ。このまま百瀬の手を取ってしまえば、何か大きな間違いを犯すことになる。自分たちがそれをよしとしても、他に認めてくれる人はきっといない。

頭ではわかっている。わかっているのに百瀬の手を振り払うことができない。だって自分はもう知っている。鬼頭組の取引があった日、電話越しに百瀬の声を聞いたとき、自分の内側にある強烈な欲求に気づいてしまった。

（男だろうとヤクザだろうと、俺は百瀬が欲しい）

百瀬の掌の下で和希は指先を動かす。察して力を緩めた百瀬の手を、和希は掌を返して握り込んだ。

「心配すんな、男に二言はない」

妙に男らしい和希の物言いに百瀬が軽く目を瞠る。続けて、ちゃんと意味がわかっているのかと窺うような視線を向けられ、和希は真顔で頷いた。

「ちゃんとお前のものになってやる。だから」

互いの掌を合わせて指先を絡ませると、和希は自分も身を乗り出した。

「お前も俺のものになれ」

決然とした和希の声に、ブランコの鎖がねじれる低い音が重なる。

これまでの会話を冗談にさせないつもりで、和希は初めて自分から百瀬にキスをした。

百瀬のように強引に舌を割り込ませる度胸はなく、軽く触れ合わせるだけで和希は素早く身を引いた。その後は百瀬の反応を見ることができず、百瀬と繋いでいた手をパッと離して手の甲で自分の口元を隠す。

前を向いていても横顔にちりちりと百瀬の視線を感じ、今更自分のしたことが気恥ずかしくなって身を固くしていると、ブハッと隣で百瀬が噴き出した。

このタイミングで笑い出す百瀬に羞恥《しゅうち》が臨界点を超え、和希は体をひねって声を荒らげた。

「な……っ、なんで笑う！」

「いや……本当に、お前はいい男だと思ってな」

百瀬は前屈みになり、肩を震わせ笑い続ける。気恥ずかしさに拍車がかかってじっとしていられず和希がブランコから立てば、それに合わせて百瀬もその場に立ち上がった。

「お前のそういうところに惚れた」

立ち上がり様の告白は、元からぐらついていた和希の平常心を根こそぎ奪って粉砕する。これまでの人生でこんなにも直球な告白をされたことがあっただろうかと思ったら、最早夜の闇でもごまかせないほど顔が赤くなった。

答えに詰まって視線を泳がせた和希の手を、やおら百瀬が摑んで引き寄せる。そのまま百瀬は公園出口に向かって歩き出すものだから、和希は慌ててその背に問いかけた。

「お、おい、どこ行くつもりだよ?」

和希の手を摑んだまま肩越しに振り返り、百瀬は不敵な笑みを浮かべた。

「ホテルだ。今度は一服盛ったりしないから、安心しろ」

「ちょ、ちょっと、本気か、お前…っ…」

男同士でホテルに行って何をするつもりだと尋ねたいところだが、百瀬のことだからさらりと恐ろしい返答をよこしそうだ。そもそも訊くまでもなく大方の予想はついて、だからこそどうかしていると思うのだが、和希はその手を振り払えない。

(——……どうかしてるのは俺も一緒だ)

和希は黙って百瀬の手を握り返す。掌を重ね合せるだけの、こんなに些細《ささい》な身体接触だけで、もう百瀬のこと以外考えられなくなっている自分に半ば呆れながら。

公園の側に停車させていた百瀬の車に乗せられやってきたのは、ビジネスホテルでもなければシティホテルでもなく、ネオンのどぎついラブホテルで、言い逃れのできない状況に嫌でも和希の緊張は高まった。

廊下を歩いて部屋に向かう途中、童貞時代に戻ったようだと心底思った。これからやるべきことは漠然と思い浮かぶのに、具体的な手順が何ひとつわからない。

緊張とも期待とも不安ともつかない感情が足元から這い上がり、何度も怖気《おじけ》づいて歩みを止めそうになった。そんな和希を後押しするのは、ホテルに入ってから繋いだままの百瀬の手だ。掌から伝わる体温を感じると、先の見えない不安より、この手にもっと触れたいという欲求の方が強く和希を支配する。

前を行く百瀬の広い背中を見遣り、百瀬はどんな気分でいるのだろうと和希は思う。多少は自分と同じように戸惑っているのかと思いきや、部屋に入るなり身を翻した百瀬は和希の肩を摑んでドアに押しつけると、声を上げる暇も与えず和希の唇をふさいできた。

「ん……っぅ……」

予想していた展開とはいえ、性急な百瀬に驚いてとっさに身動きがとれなかった。

唇の隙間から百瀬の舌が忍び込んでくる。すぐには対応できず縮こまる和希の舌を、百瀬は唇の角度を変え深く舌を滑り込ませて追いかける。一度捕まると思う様舌を絡められ吸い上げられて、和希の体の芯に震えが走った。

これまでの経験上、自分ががっついてしまうことは多々あれど、相手からこんなふうに熱烈に求められるのは初めてだ。積極的な女の子とつき合ったこともあったが、ここまで露骨に唇をむさぼられたことはない。

改めて、相手は雄なのだと実感した。

うろたえたのは一瞬で、自分だって雄だと和希はすぐさま思い直す。そうなるとやられっぱなしでいるのも癪《しゃく》で、思うが早いか和希も顎を逸らして自ら舌を絡ませた。深追いしてきた百瀬の舌を軽く嚙んで押し返してやると、合わせた百瀬の唇が笑みを象《かたど》った気がした。お返しのつもりか百瀬に腰を抱き寄せられて、唇が前より深く絡まり合う。

うっかり和希も口の端に笑みを浮かべてしまった。じゃれあうようなキスが楽しかったし、こんなふうに百瀬と触れ合えるのが嬉しかった。昔のように百瀬が笑っていると思うと、それだけで胸の奥から温かなものが溢れてくる。

「ん……」

しばらくは戯れのように一進一退の攻防を繰り返していたが、しばらくすると和希の旗色が悪くなってきた。百瀬の方が背が高いので仕方ないことではあるが、上からのキスに和希は慣れておらず、次第に百瀬の舌に翻弄《ほんろう》され始めてしまう。

こちらの動きなどお構いなしに舌を押し込まれたと思ったら、今度は労《いた》わるように優しく擦り合わされ、巧みに緩急をつけられて反撃の隙を見失った。相手に主導権を握られかけて悔しい反面、妙な恍惚《こうこつ》感にも襲われて和希は慌てて顔を背ける。

「も……百瀬、こんなとこで……」

まだ部屋の入口もいいところだと言いたかったのだが、一度離れた百瀬の唇は和希の頬に沿うように追ってきて、再び柔らかく唇をふさいでくる。

背中にしっかりと両腕を回され唇を吸い上げられて、和希は自分の体が縮んでいくような錯覚に襲われた。決して小柄なわけではないのに、今はやけに自身が小さく感じる。百瀬の胸にすっぽりと収まっていると思うと不思議な安堵感に包まれ、膝から力が抜けそうになった。

今度は深追いせず百瀬の唇が離れ、和希はうっすらと目を開ける。

斜め上からこちらを見下ろしてくる百瀬の顔は互いの鼻先が触れ合うほどに近い。その距離を保ったままで、百瀬が笑う。ゆっくりと緩んでいく目元を見ていると、胸の奥で甘酸っぱいものが爆《は》ぜた。その笑顔が見たいばかりに屋上へ通い詰めていた高校時代の校舎のざわめきと、屋上へ続く扉を開ける瞬間の胸の高鳴りを思い出す。

「モモ――……」

自然と昔の呼び名で百瀬を呼んでいた。指を伸ばして百瀬の頬に触れると、切れ長の目が伏せられて再び唇が重なってくる。

もういっそこのまま百瀬にすべてを委《ゆだ》ねてしまいたくなったが、寸前で我に返って和希は百瀬の頬を押し戻した。その手が予想以上に弱々しくなってしまったのは気づかなかった振りで、和希は目一杯気丈な声を出す。

「ま、待った！　これ、どっちが女役とかあるのか！」

和希に顔を寄せかけていた百瀬は動きを止め、軽く眉を上げて和希の顔を覗き込む。

「……まぁ、あるにはあるが、とりあえず経験がないなら俺に任せておいたらどうだ？」

「けっ……経験あるのか、お前……」

堪えようもなく声を上ずらせた和希を見下ろし、百瀬は唇の端を持ち上げる。

「妬《や》けるか？」

「なっ、ば、ねぇよ！」

思わず大きな声で言い返してしまったのは、百瀬の言葉が本音を掠ったからだ。

「そ、そうじゃなくて……えーと……、そ、そう、お前、ホモなのか？」

単刀直入な問いかけに、百瀬は「いや？」と素っ気なく首を横に振る。だったらどうしてそんな経験があるんだと目顔で問えば、百瀬は軽く肩を竦めてみせた。

「ああいう世界に長くいると、嫌でもいろんな経験を積むもんだ。ムショ帰りの兄さんの中にそういう趣味に目覚めちまった人がいてな。俺自身は好んで男を選ぶ趣味はないが。でも、お前だけは――……」

そこでふつりと百瀬が言葉を切る。前触れもなくまじまじと百瀬に見詰められ、和希の肩先が小さく揺れた。切れた言葉の先が俄かに気になり、けれど促すのも気恥ずかしく和希が黙り込むと、百瀬はわずかに目元を緩めた。

「なんでもない。俺もただのホモかもな」

はぐらかされて仏頂面になる和希に苦笑を漏らし、百瀬は和希の腕を引く。

「ともかく、無理強いするつもりはないから安心しろ。その辺は臨機応変にやったらいい」

正直釈然としなかったものの、和希は黙って部屋の奥へと進む。これ以上百瀬と顔を突き合わせて、赤くなった耳に気づかれるのも面白くない。

（……お前だけって……どんな殺し文句だよ）

途中で切れた言葉でも十分骨抜きにされている自分に嘆息しつつ奥までやってきた和希は、部屋の中央に置かれたベッドを目にしてぎくりと体を強張らせた。臨機応変も何も、ここに横たわるときどちらが上になるかでもう話はついてしまうのではないか。

うろたえて足を止めかけた和希だが、百瀬はあっさりとベッドを横切り、さらに奥にあるバスルームの扉を開けて和希を振り返った。

「悩んでないで先にシャワーでも浴びたらどうだ？」

とりあえず問題が先延ばしにされてホッとしたのも束の間、脱衣所に入るなり目の前で百瀬が服を脱ぎ始めて和希は慌てふためく。

「な、お、お前まで脱ぐのかよ！」

「せっかくこれだけ広いんだ。一緒に浴びてもいいだろう」

百瀬の言う通りバスルームは広い。シャワーを浴びるスペースは男二人が入ってもまだ余裕があるし、浴槽だって長身の百瀬でさえ悠々と足が伸ばせる広さだ。

それでも逡巡する和希に背を向け、百瀬はジャケットを脱衣籠《かご》に放り込んだ。

「どうしても恥ずかしければベッドで待ってろ」

「お、男同士で恥ずかしいもあるか！」

従来の負けん気が頭をもたげ、威勢よく言い放つと和希もジャケットを脱ぎ落とす。肩越しに振り返った百瀬が小さく笑うのを見て何やら嵌められた気がしないでもなかったが、腹を決めてワイシャツも脱衣籠に叩き込んだ。

競ったつもりもなかったが二人してほぼ同時に服を脱ぎ終えると、張り合うように揃ってバスルームに足を踏み入れた。シャワーのコックに手を伸ばしたのもほとんど同時だったが、百瀬の方がわずかに早い。しかも和希はシャワーの真下にいたものだから、頭から冷たい水をかぶってしまい飛び上がる。

「冷てっ！　てめ、何すんだよ百瀬！」

「俺のせいじゃないだろうが。暴れるな、水が飛ぶ」

正論にムッとして、和希はわざと大きく頭を振り、髪から水を飛ばして百瀬と向かい合う。

だが、脱衣所では気恥ずかしくてまともに見られなかった百瀬の体を真正面から見たら、直前まで考えていた悪態などどこかへ吹き飛んでしまった。

百瀬の広い胸やがっしりとした肩には、たくさんの傷跡があった。皮膚がへこんだり引きつれたりしている裂傷の他、筋状に赤く盛り上がっているのは火傷《やけど》の跡だろうか。胸だけでなく腕や足まで、数多の傷跡が百瀬の体には残っていた。

シャワーから出る水がようやく熱い湯に変わり、バスルームに湯気が立ち込める。

百瀬は和希の目が自分の傷口を追っていることに気づいているだろうが何も言わない。

和希も言葉が出ず、無言で百瀬に歩み寄る。

普通に生活していればつくはずのない無数の傷が残る体は、百瀬が普通でない生活をしていた証拠だ。暴力団という言葉が示す通り、百瀬は日常的に暴力がはびこる場所にいたのだと改めて痛感する。そして一歩間違えれば、一生その場所から抜け出せずに終わってしまったかもしれないのだとも。

和希は黙って百瀬の肩に額を寄せる。左肩に残る銃創は、半年前鬼頭につけられたものだろうか。固く盛り上がった傷にそっと唇をつけると、百瀬に後ろ髪を梳《す》かれた。

頭上から降り注ぐシャワーの湯が、和希の背中を滑り落ちて排水溝に吸い込まれていく。温かな湯が体の緊張をほぐし、和希は百瀬の肩に横顔を押しつけたまま、その体についた傷跡をひとつひとつ指先で辿った。和希の動きを追い、百瀬も同じように和希に触れてくる。

百瀬の肩から腕に走る傷跡をなぞると、百瀬の掌も和希の腕をゆっくりと撫で下ろし、なめらな湯の感触と相まって溜息が出そうになった。百瀬の背中に手を回せばこちらにも皮膚の盛り上がりがあり、指先で背筋を辿ると百瀬も和希の背骨を指の腹でなぞってくる。くすぐったさに首を反らすと、斜め上からこちらを見下ろす百瀬と目が合った。

くすぐったいと文句をつけようとしたが百瀬も何かを堪えるような顔をしていて、互いにこそばゆさを堪えていたのだと気づいたら込み上げる笑いを殺すことができなかった。シャワーの湯を浴びて前髪から水を滴らせる百瀬も笑って、どちらからともなく唇が重なる。

戯れのように体を触り合うことにためらいはなかった。二人して頭からシャワーをかぶっているせいで水の味のするキスを繰り返し、相手の手の動きに合わせて肌に触れる。

肩や腕を辿っていた百瀬の手が、胸から腰へと移動する。その手はさらに下へと移動して心臓が大きくひとつ脈打ったが、もしかすると自分の手が動くのに百瀬の方が合わせているのかもしれない。相手が望んでいるのか自分で望んでいるのか判然としないまま、和希は指先で茂みをかき分け百瀬の体の中心に触れた。

「……っ」

思いがけず熱く滾《たぎ》ったそこに触れた驚きからか、はたまた自分のものを遠慮なく百瀬に握り込まれた衝撃からか、和希の喉が小さく鳴る。

他人の局部に触れることなど初めてで、どうしてもおっかなびっくり指を動かすことしかできない和希とは違い、百瀬はためらいなく和希に触れてくる。和希も同じようにやり返そうとするが、手に余るそれにまごついてどうしても動きがぎこちなくなってしまう。もたもたしている隙に百瀬がゆっくりと自身を扱《しご》いてきて、一瞬で背筋が粟立《あわだ》った。

和希の唇から震えた溜息が漏れる。声が伴ってしまわぬよう強く唇を噛むと、それに気づいて身を屈めた百瀬に唇を舐められた。

開けろ、とばかり百瀬は繰り返し和希の唇を舐め、柔らかく握り込んだ手を緩慢に上下する。

「は…っ……ぁっ……」

微弱な快楽しか与えられないもどかしさに乱れた息を吐いたら、掠れた声が混ざってしまった。慌てて口を閉ざそうとしたが、狙い澄ましたタイミングで先端を弄《いじ》られて今度こそごまかしようのない声が出る。

「や、待て……って、もも……あっ……」

制止の言葉も聞かず身を屈めた百瀬は、和希の顎のラインに唇を這わせながら手を動かし続ける。早々に先端から滴り始めた先走りのせいで百瀬の掌がぬるつき、下半身が蕩《とろ》けそうな快感に和希は喉を震わせた。

「は…っ…ん……」

唇を噛んでも鼻から抜ける声は抑えきれない。自分でも思いがけなく甘い声がバスルームに反響して耳が焼ける。必死で声を殺そうとするがときどき失敗してしまうのは、和希が手にしている百瀬の雄が自分の声に反応するからだ。

和希の唇から押し殺した声が漏れるたび、手の中のものが固く反り返る。言葉よりも明確なその反応に胸が押し潰されたようになって呼吸すら覚束なくなった。百瀬も興奮しているのだと思うと単純に嬉しく、もっと応えて欲しくてどんどん唇が緩んでしまう。

「あっ、ぁっ」

根元から先端まで繰り返し扱かれて和希の腰が落ちかける。それを見越していたかのように百瀬が和希を抱き込んで、和希の背中を壁に押しつけてきた。

「や、あっ、あぁっ……」

百瀬の指先に力がこもる。腰の奥から甘い疼きが沁《し》み出し、背中を壁に預けていても体を支えきれなくなりそうになった。それを許さず、百瀬が和希の脚の間に膝を入れてくる。

雄を嬲る手の動きが早くなり、和希の膝が大きく震えた。爪先から射精感が駆け上がって全身を仰け反らせた和希は、次の瞬間鋭く息を呑んだ。百瀬がもう一方の手を後ろに回したと思ったら、体の奥まった場所に触れてきたからだ。

「ひっ……ぁっ……な、なん……」

とんでもない場所に指を這わされ、さらに先走りだけとは思えないぬめりを感じ、何が起こっているのかと暴れかけた和希を百瀬が片腕で抱き込んでくる。

「ただのローションだ。こういうホテルだからな、備品も充実してるだろう?」

どうやらシャンプーやリンスなどが置いてあった棚にローションのボトルも置かれていたらしい。百瀬が腕を伸ばしてローションを取ったのにも気づかなかった和希は、どれだけ百瀬の愛撫に夢中になっていたのかと羞恥で耳を赤くする。

「お、お前、だからって――……っ…」

言葉の途中で百瀬の指がゆっくりと狭い入口を押し広げて中に入り込んできて、和希は息を呑む。

「も…っ…百瀬、待った、ま……っぅ」

壁際に追い詰められて身動きのとれない和希が上げた哀願混じりの声は、百瀬の熱い唇に呑み込まれて言葉にならない。

ローションでたっぷりと濡れた指は予想外に引っかかりもなく体の奥に入ってくる。痛みはさほどでもないが、ずるずると異物が侵入してくる感触に戦慄《わなな》き和希の体が逃げを打つ。

百瀬はそんな和希を宥めるつもりか唇を咬《か》み合わせるようなキスを繰り返し、一方の手で内側を探りながら、もう一方の手で和希の雄を巧みに追い上げる。

「んっ……んぅ……は……っ」

息が続かなくなって眉を寄せれば百瀬の唇は離れ、代わりに猫のように唇を舐められた。

「やっ、は……っ、あっ……！」

和希の雄を擦り上げていた百瀬の手が急にピッチを上げた。一度はぐらかされた絶頂感が再び迫り上がってきて、期待に胸が張り詰める。そちらに気をとられ異物感を忘れたところで後ろを探る指を増やされ、和希は固く身を竦めた。

「あっ、や、やだ……って……！」

「力を入れるな。こっちに集中しろ、ほら」

和希の雄を握り込んだ百瀬の手が一層強く、早くなる。

真上から降り注ぐ湯で溺れそうになり忙《せわ》しない呼吸を繰り返していると、薄く開いた唇をまた百瀬に舐められた。キスを求めて追いかければするりとかわされ、また表面をなぞるように舌先で舐められる。そうしながら和希を絶頂に促す百瀬の声は蜜《みつ》のように甘く、頭の芯にぼうっと霞がかかった。

百瀬に応え、体が従順に快楽を追い始める。後ろを探られる不快感や息苦しさが消えたわけではないが、それを凌駕《りょうが》する快感が一時的にそれらを意識の外へ追いやった。

「あ、あっ、あぁ……っ」

痛みと快楽紙一重の力で追い上げられ、最後は制止の言葉も出ず絶頂へ押し上げられた。

達した瞬間スゥッと周囲の音が遠ざかり、視界まで白く霞《かす》んだ気がした。しばらくしてからどくどくと脈打つ自分の心音とシャワーの音が聞こえ、最後に乱れた自分の息遣いが戻ってくる。荒い呼吸を繰り返していたら、頬にひたりと百瀬の手が添えられた。

「意識が飛ぶほどのことをした覚えはないんだがな」

百瀬の声が、遠い。和希はゆるゆると息を吐き、半眼《はんめ》になって百瀬を睨みつけた。

「……そういうのは、人によって程度が違うんだよ」

声を荒らげる気力もなく、掠れた声で和希は呟く。肉体的な疲弊より、かつての親友の手で達した挙げ句、とんでもない場所まで探られたことで精神的にぐったりきた。

百瀬は喉の奥で低く笑うと、和希の放ったものをシャワーで流し、和希の額に張りついた前髪を後ろに撫でつけた。

「口応えができるなら結構だ。この程度で意識が飛んでちゃ次に進めないもんな」

髪を撫でる百瀬の優しい指先にとろりと目を閉じかけた和希は、不穏な言葉に気づいてぎくりと体を強張らせた。

「いや、百瀬、待った」

「さっきから待ったばかりだな。ほら、後ろ向け」

足腰の力が抜けていた和希は簡単に体をひっくり返され壁に両手をつかされる。後ろから百瀬に抱きしめられると腰の辺りに固いものが当たり、和希は悲鳴じみた声を上げた。

「もっ、百瀬！　いや、だって、ほら！」

「なんだ、お前ばかりいい思いをして終わりか？」

そう言われると和希も辛い。一応最後まで和希も百瀬のものを掴んでいたが、途中からは手を添えているだけで精一杯で、百瀬がいっていないのは明白だ。

「でも、り、臨機応変にって言ってなかったか⁉」

「だから、臨機応変にしてるだろう。それともそんな膝が笑った状態でお前がどうにかできるのか？」

百瀬の言っていることは逐一正論だが、そう簡単に引き下がるのは難しい。

百瀬のことは好きだ。それが家族や友人に対する感情とは違うことはよくわかる。けれど三十年近くノーマルに生きてきて、こんなにも唐突にジェンダーの変換を迫られてもすぐには踏ん切りがつかない。

（だって俺が女役ってどうよ……⁉）

百瀬を好きだと思う気持ちに偽りはないが、和希の思考を停止させるのはその部分だ。忙しなく視線を揺らして言葉を探していると、耳の後ろで百瀬が微かに笑う気配がした。

「諦めて俺のものになれ」

壁に手をつく和希の背を百瀬が後ろから抱き寄せる。百瀬の広い胸に背中が密着して、人肌の温かさに和希は低く唸った。女性のような丸みも柔らかさもない体が、不快でないどころか心地よく感じてしまうのだから始末に悪い。

「そんなこと、あんまり簡単に言うな……！」

「まだ覚悟が決まらないか。往生際の悪い奴だな」

他人事だと思って気楽なことを言ってくれる。振り返って睨みつけてやろうとしたら、後ろから耳の端に噛みつかれた。

危うく声が出そうになった。痛みを感じたわけでもないのに心臓が跳ねる。

百瀬は和希の耳に軽く歯を立てたまま、和希の胸の前で交差していた腕を解いて和希の胸をまさぐり始めた。

「うわっ、もも……っ……あっ」

胸の突起に百瀬の指先が触れ、身じろぎしたら今度は耳を口に含まれて喉元まで出かかっていた言葉が霧散した。胸なんて触られてもくすぐったいばかりだと思っていたのに、舌先で耳を舐《ねぶ》られながら刺激されると、腰の奥にぞくりと熱いうねりが走る。

耳元で百瀬の舌が動く濡れてくぐもった音がする。やたらと卑猥《ひわい》なその音は、耳のすぐそばで響くのでシャワーの音でもかき消されない。妙な気分になってきたところで胸の尖りを柔らかくつままれ、和希は無自覚に身をよじった。

「ん……や、やめ……」

百瀬の手つきはひどく緩慢で、その分意識が集中してしまう。感覚が尖ってくるにつれ、くすぐったいと思っていた感覚の下にちらちらと熾《お》き火のような快感がくすぶっているのに気づいてしまい、和希は大いにうろたえた。

先程達したばかりだというのに、下半身に再び熱が集まり始めている。指と唇だけで容易に体の深いところから淫《みだ》らな気分を引きずり出してしまう百瀬の手管に怯《おび》え、せめてその唇からだけでも逃れようと首を回したら、もう一方の手で顎を掴まれ顔を前に戻された。

「あ……っ…ぐ…っ」

薄く開いていた唇に百瀬が指を突っ込んでくる。とっさに閉じかけた口を人差し指と中指でこじ開けられ、二本の指で口内をかき回された。

「ぅ……ぐ……っ」

喉の奥に届くほど深く指を差し込まれ、和希は息苦しさに眉根を寄せた。それでいて、百瀬の指に全力で嚙みついてまで抵抗する気にはなれない。

口に押し込まれた指の乱暴さとは裏腹に、耳に歯を立てる百瀬の唇が優しいからだろうか。それとも胸の突起を嬲られるたびに走る、膝が震えるような甘い疼きが体の力を奪うのか。

セックスの最中、こんなにも他人に自分の体を支配されてしまうのは初めてで、けれどそのことに陶酔感に似たものを感じてしまい和希は戸惑う。自分の中に確かにあると信じていた雄の部分を、一枚一枚薄皮を剝ぐように取り払われていく気分だ。

これ以上流されては帰ってこられなくなる気がして、和希は思い切って百瀬の指に歯を立てた。さほど力を入れたつもりもなかったが和希の口内を蹂躙《じゅうりん》していた指の動きが止まり、ゆっくりと外へ引き抜かれる。お返しのように耳を嚙まれたがそれも首を振って払いのけ、和希は背後を振り向くと威勢よく言い放った。

「やるならさっさとやれ！　言っただろ、男に二言はない！」

声高に宣言する和希を見下ろし、さすがに百瀬が黙り込む。

沈黙を埋めるようにシャワーの音が浴室中に響き、ややあってから百瀬はいささか鼻白んだ顔で溜息をついた。

「……色気がないな」

「そんなもん最初から俺に求めるな」

「いや、さっきまでは随分色っぽかったんだが」

うるさい、と一喝すると、百瀬は笑って赤く色づいた和希の耳に唇を寄せた。

「まあ、覚悟が決まったなら何よりだ」

和希はぐっと声を呑む。腰に当たる熱が存在感を増した。

本当は覚悟などまだできていない。けれど百瀬がこの状況から和希を解放する気がないのは明らかだし、だからといって強引にことを進めようとしないのもわかってしまった。百瀬は思いがけない忍耐強さで和希をぐずぐずに溶かしてしまおうとする。

下手に意地を張ってこれ以上みっともない姿を晒すくらいならばと啖呵《たんか》を切った和希だったが、狭い窄《すぼ》まりに後ろから刀身を当てられたときはさすがに息が止まった。

予想以上の圧迫感に思わず百瀬を止めそうになったが、それこそ情けないと唇を噛んでやり過ごす。けれど体を押し開かれる痛みには、さすがに声を殺せなかった。

「つっ……ぅ……」

喉から悲鳴が漏れかけ、和希は壁についた拳に歯を立てた。多少ローションで慣らされていたとはいえ、本来何かを受け入れるようにはできていない場所だ。百瀬は極力ゆっくりと腰を進めてくるが貫かれる痛みが軽減されるわけもなく、一瞬で額に脂汗が浮かんだ。

「ひっ……ぁっ！」

後ろから腰を抱かれたと思ったら、勢いをつけて最奥まで突き入れられた。衝撃に悲鳴も上がらず、和希は指先が白くなるほど掌を握りしめる。

シャワーの音の間に、自分の引きつれた呼吸が紛れ込む。その上にさらに百瀬の乱れた息遣いが重なって、百瀬が首筋に顔を埋めてきた。

「……もう少し、抵抗されるもんだと思った」

自身をすべて埋めても和希の体が慣れるまで動き出さないつもりか、そう言ったきり百瀬は大人しくしている。その心遣いはありがたく、和希も弾んだ息の下から答えた。

「しょうがないだろ………惚れた弱みだ」

なるべくさらりと口にしたつもりだったが、途端に百瀬の呼吸音が消えた。

想定外の顕著な反応にたちまち後悔したがもう遅い。

ホテルに向かう途中、自分は百瀬にきちんと好きだと伝えていないのではないかと気づいてしまい、ずっと自然なタイミングを窺っていたのだが失敗したらしい。しかし言葉にしないのは誠意がないし、だからといって面と向かって口にするのは気恥ずかしく、どうすりゃよかったんだと和希が内心悶絶していると、いきなり後ろから力一杯抱きしめられた。

「……今さら言われるまでもないと思ってたんだが、言われたら言われたで気分がいいもんだな」

心なしか、百瀬の声が弾んでいる。だが振り返ってその顔を確かめる猶予は与えられない。前触れもなく腰を揺すり上げられ、和希は目の前の壁にすがりつく。

「ば……っ、馬鹿、まだ——……っ」

「こんなときに人を嬉しがらせるようなことを言うお前が悪い」

続けてゆるゆると突き上げられ、和希は百瀬の言葉が半分も理解できない。和希を揺さぶりながらその体をまさぐる百瀬の手も忙しなくなって、耳から入ってくる百瀬の言葉も、舌に乗せようとする自分の言葉も、頭に浮かんだ端からもろくも崩れ去っていく。

「あっ、は……っ……ぅ」

硬い切っ先で繰り返し突き上げられ、痛みと息苦しさに和希は呻く。けれど首筋を百瀬の唇で辿られ、胸の突起を指の腹で捏ね回されると苦痛がわずかに遠ざかり、代わりに体の深いところでじりじりと何かがくすぶり始めた。

「もも……せっ……や、だ……あぁっ……」

耳の裏を強く吸い上げられ、声に甘い響きが忍び込んだ。喉に力を入れて抑えようとするが、百瀬が容赦なく楔《くさび》を打ち込んでくるものだから上手くいかない。膝が折れそうになると百瀬の力強い腕に腰を引き上げられ、一層深く穿《うが》たれる。

「……さっきの続き、やっぱり言っておくか」

ふいに後ろから囁かれ、和希は固くつぶっていた目を薄く開いた。百瀬の息も乱れていて、そんなことにまた腰の奥が熱くなる。

「なん……っ、だよ……っ」

「俺自身は好んで男を選ぶ趣味はないがって話の、続きだ」

平素の口調を装いながらも、百瀬の声はいつもより格段に甘い。言葉の内容よりも、熱を帯びたその声音に肌が震えた。繰り返し耳に吹き込まれると体の芯まで溶けそうになる。

和希の腰を支えていた百瀬の手が内股に滑り込む。ゆっくりと撫で下ろされて息を引きつらせた和希の耳に、百瀬は一層甘い声を流し込んだ。

「男は趣味じゃないが、お前だけは別だ。……今まで誰が相手でも、こんな気分になったことはなかった」

一度膝の方へ下がっていた手が再び上がる。体の一番敏感な場所に近づいてくる指先に、期待で息が止まりかけた。だから和希はすぐには気づけない。百瀬の声に微かな真摯《しんし》さが混じったことに。

「お前がいなかったら、きっと戻ってこられなかった」

和希の雄に百瀬の指先が絡む。張り詰めたそこをゆっくりと撫でられ、和希は背中を弓形にする。蕩け始めた頭の隅に、百瀬の言葉が深く刻まれる。

「――……この先も、側にいてくれ」

言葉の意味を理解するより、体が先に反応した。瞬間目の端からこぼれ落ちたのは、きっと生理的な涙だけではなかったはずだ。

和希は肩越しに百瀬を振り返ると、涙目を向けて悪態をついた。

「おま……馬鹿だろ！　こんなときにっ、そんなこと言うなんて……！」

もっと違う状況で口にされていたらとんでもなく感動的な場面だったろうに。

百瀬は唇の片端を持ち上げるようにして笑うと、和希の雄を掌全体で包み込んだ。

「恥ずかしがり屋なもんでね、こういうときでもないと言えないんだよ」

「よく言……っ……あっ！」

手の中のものを扱きながら百瀬が腰を打ち込んできて、和希は溶けるような悲鳴を上げる。

痛みと快感が交互に襲いかかってきて息もつけない。

快感はごくわずかだ。けれど耳元で百瀬の乱れた息遣いが聞こえると体の芯が熱くなる。

もっと、と口走りそうになる自分にうろたえ、固めた拳に歯を立てた。

「ん……っん……ぅ……っ」

深く押し込まれて腰を回され、過敏な先端を執拗に嬲られる。突き上げられれば息が止まり、引き抜かれると無意識に体が追いすがった。

「奥の方が好きか……?」

追い打ちをかけるように耳元で囁かれ、和希はとっさに首を横に振った。

ふぅん、と短く呟いた後、確かめるように百瀬が腰を揺すり上げてくる。熱く潤んだ内壁が押し上げられると痛みより早くぞくぞくとしたものが背筋を駆け上がり、堪えようもなく甘い声が漏れた。百瀬の手の中で自身が震え、百瀬はわざとゆっくり根元から先端へと指を滑らせ、和希の耳の裏で低く笑った。

「強情っぱりめ。悪くないんだろう?」

「…っ…るせ……誰が……っ!」

「俺はとんでもなくいいけどな……?」

ほとんど吐息だけで低く囁かれ、不意打ちに和希の膝ががくんと折れる。

悔しいが、乱れた息の交じる声は直接腰に響くようで全身が戦慄くのを止められなかった。肌が震え、滴る水のひとつひとつまで感じ取れるほどどこもかしこも鋭敏になってしまう。

「ひっ……あっ……あぁ……っ!」

ギリギリまで引き抜かれたと思ったら深々と貫かれ全身が甘く痺れた。繋がった部分が熱い。蕩けてしまいそうだ。震える体を後ろから抱きしめられ、張り詰めた自身を速いピッチで擦り上げられて、見る間に呼吸が切れ切れになった。喉が仰け反り、内腿《うちもも》が痙攣《けいれん》する。上り詰めるのは一瞬だ。堪える術もなく百瀬の掌に飛沫が叩きつけられる。

和希を抱きしめる百瀬の腕の力が前よりも強くなった。崩れかけた和希の体をしっかりと抱き止め、百瀬が束の間息を詰める。

内側を濡らされる感触は、正直よくわからなかった。

それよりも、和希の意識が遠ざかる方が先だったからだ。


普段ろくな睡眠時間を確保できないおかげで、目覚めはいつも恨みがましい目覚まし時計の音と共に訪れる。けれど今日はゆっくりと意識が浮上して、耳障りな目覚ましの音も聞こえない。寝千切ったか、と思った瞬間、和希はカッと両目を見開いていた。

周囲の状況を確認する余裕もなくガバリと身を起こせば、途端に下半身に鈍い痛みが走り、わけがわからないまま再び後ろへ倒れ込んだ。背中に乾いて柔らかな感触があり、それでようやくベッドの上だと理解する。

もう一度、今度はゆっくりと起き上がって室内を見回してみた。和希が横たわっているベッドの他はテレビと冷蔵庫くらいしか物のない部屋は、確かに百瀬と入ったラブホテルの一室だ。だが、室内に百瀬の姿が見当たらない。

サッと嫌な予感が胸を過って和希はベッドから飛び下りる。下半身に鈍痛が走るのも構わずバスルームへ駆け込んだが、そこにも百瀬の姿はない。

呆然と脱衣所の鏡を見れば青白い顔をした全裸の自分が映っていて、心臓が不規則に脈を打った。以前、同じように百瀬にラブホテルに置き去りにされたことを思い出す。

これまで散々百瀬の言葉に騙されてきたものだから、今回の話もすべて嘘だったのではないかと、そんな思いが頭を掠めた。

本庁の五課で潜入捜査官として動いていたという百瀬の言葉は、果たして本当だったのだろうか。現実はやはり暴力団のまま、百瀬は再び日の当たらない場所に舞い戻ってしまったのではないか。

バスルームで見た百瀬の傷だらけの体と、いつになく優しい声や仕草を思い返すと嫌な予感は一層高まる。立ち止まっていると足元から震えが這い上がってきそうで、和希は慌ただしい手つきで脱衣籠に放り込まれていた服を引っ摑んだ。

籠の中に百瀬の服はなく、そのことがますます和希を焦らせる。

ズボンを穿いてベッドルームに戻り、もどかしい気持ちでワイシャツのボタンを留めた。

こんなときに限って手元が狂って舌打ちすると、背後で部屋の扉が開く気配がした。

反射的に振り返ると、そこにはコンビニ袋を提げた百瀬の姿があり、冗談でもなんでもなく体中から力が抜けた。

安っぽいコントのように膝で床を打って座り込んだ和希を見下ろし、百瀬は不思議そうな顔をする。

「……何してるんだ？」

「お――……お前こそ、何してんだ……」

怒鳴りつけてやるつもりが気の抜けた声しか出なかった。最悪の想像をしてしまった直後だっただけに、怒りよりも安堵が勝って立ち上がれない。

百瀬は和希の腕を摑んで引き起こすとベッドに座らせ、コンビニの袋を掲げてみせた。

「朝飯だ。お前、今日も出勤じゃないのか？」

「……そんなもん……ホテルに頼めよ――……」

軽食ぐらい出してくれるだろうと項垂れる和希の隣に百瀬はゆっくりと腰を下ろす。

「食いたいもんがなかったんだから仕方ないだろう。ほら、お前の分だ」

ガサガサと音を立てて袋から取り出したものを百瀬が膝の上に放ってくる。驚きすぎて食欲も失せたと言ってやるつもりで視線を下ろし、和希は軽く目を瞠った。

膝の上に乗っていたのは、袋に入ったアンパンとパックの牛乳だ。隣に座る百瀬を振り仰げば、百瀬は何食わぬ顔で自分の分の牛乳と焼きそばパンを袋から取り出している。

和希は無言で百瀬の横顔と膝の上のアンパンを見る。

いつか二人して刑事になったら、アンパン買って張り込みしよう。

随分昔に自分が口にした言葉が蘇る。

昼休みの屋上、遠くに舞い下りる鳩の羽ばたき、頭上一杯に広がる青い空と、吹きつける風の強さまで鮮明に思い出され、和希はばりっと音を立ててアンパンの袋を破った。

「……デカの朝食って言ったら、やっぱりアンパンなんじゃねぇの？」

声が鼻にかかってしまわぬよう、極力抑えた声で呟いた。隣で百瀬が低く笑う。

「俺は焼きそばパンがいい」

百瀬の返答は学生時代と変わらない。あの当時、夢物語のように語っていた未来が現実になっていることに、和希は静かな感慨を覚える。じわじわと込み上げてくるものをパンと一緒に飲み込んで、和希はぶっきらぼうに言い放った。

「百瀬、お前うちの所轄に来いよ」

「無茶言うな。だったらお前が本庁に来い」

間髪容《い》れず言い返して、焼きそばパンを食べながら百瀬が不敵に笑う。それを見返し、和希もニヤリと笑ってみせた。

一般人に職業がばれないよう、日常会話の中では本庁のことを本店と言うのだと先輩風を吹かせて教えてやろうと思った。学生の頃とは立場が逆だ。今度は自分が教えてやれる。

「きっちり業界用語から教えてやるからありがたく思えよ！」

学生時代の夢が叶ったのだという実感がようやく湧いてきて和希が豪快に残りのパンを口に押し込むと、口からはみ出したパンの端にいきなり百瀬が噛みついてきた。

口元に百瀬の吐息が触れ、ギョッとして咀嚼《そしやく》もそこそこにパンを飲み込んでしまい激しくむせる和希をよそに、百瀬はしれっと言い放った。

「やっぱり甘いパンじゃ腹に溜まる気がしないな」

「だ……っ、だったら食うな！」

百瀬の唇に笑みが浮く。それがたった今自分の口元ギリギリまで近づいたのだと思うと妙に動揺して、和希は視線を泳がせる。その隣で、百瀬は心底楽しそうに笑って言った。

「早速先輩にデカの朝食とやらの味を教えてもらっただけだろう」

「お前…っ…全然人のこと先輩扱いしてないだろ！」

「いやいや、これからもいろいろ教えてくださいよ、先輩」

わざとらしく敬語を使う百瀬の脇腹に肘を当ててやったが、百瀬は意に介したふうもない。それどころか楽し気に声を上げて笑う百瀬を見ていたら、しかめっ面を作っているのも難しくなった。憮然とした声にも笑いが混ざってしまう。

「いっそ二人で花の一課目指してみるか？　だったら俺、本店勤務もやぶさかじゃないぞ」

「俺はともかく、お前に一課は無理だろう。顔が派手すぎて尾行に向かない」

「お前だって大概目立つぞ。どんだけ規格外にデカいか自覚ないのかよ」

「お互い様だな。だから揃って組対になんて放り込まれたんだろ」

軽口を叩き合いながら朝食を終えたら、二人揃って慌ただしく部屋を出て仕事に戻らなければならない。百瀬は本庁、和希は所轄。場所は違えど、組織は同じだ。

そのことを百瀬が誇らしく思ってくれることを願いつつ、和希は空になった牛乳パックを部屋の隅に置かれたゴミ箱に放り込んだ。

放物線を描いたパックは見事ゴミ箱の中に落下して、拍手代わりに百瀬が指笛を吹く。

青空に溶けるような清々《すがすが》しいその響きに、和希は小さな笑みをこぼした。

あとがき

最近すっかり酒に弱くなった海野です、こんにちは。

ここのところお酒を飲む機会もなく過ごしていたのですが、先日久しぶりに自宅で梅酒を飲んだところまんまと二日酔いになりました。

グラスにたった二杯しか飲んでいなかったのに……！　昔は梅酒なんてただの美味いジュースだと思っていたのに……！

でもよく考えたら梅酒って原液で飲んだらビールよりよっぽどアルコール度数が高いんですよね。それをジュース感覚で飲んでいた昔が間違っていたような気もします。今度からはせめて炭酸水か何かで割ろうと思います。

そう考えるとグラスになみなみ二杯（氷なし）ってそんなに少ない量じゃなかった？　と今さら思ったりもしますが、それでも二日酔いになるほどではないですね……。

それはさておき今回は刑事とヤクザのお話でしたがいかがだったでしょうか。

昔から一度刑事ものを書いてみたいとは思っていたのですが、実際刑事さんたちがどんな仕事をしているのかさっぱり想像がつかず、最初は資料集めに奔走することになりました。調べるほどに刑事さんたちの激務っぷりが浮き彫りになり、「一体これだけの仕事量でどうやって恋愛なんてやってられるんだ……！」と本気で頭を抱えたりもしましたが、こうしてあとがきまでこぎつけてホッとしております。

そういえばヤクザの人たちも普段どういう活動をしているのかよくわからず以前調べたことがあるのですが、清水の次郎長とか出てきてしまい、結果もの凄い人情物語になりました。今回はもう少しダークな部分が出せていたらいいなと思います。

そして今回イラストを担当してくださった奈良千春さま、本当にありがとうございます！

いつかイラストをお願いできたらどんなにいいだろうとずっと思っていたのですが、本当に実現するなんて……と未だに夢見心地です。ラフをいただいたときは感極まって、「もう、もう本当に……何も言うことはありません」とパソコンに向かって呟いていました。美貌の二人と本の中で会えるのを誰よりも楽しみにしているのはきっと私です。

そして末尾になりますが、この本を手に取ってくださった読者の皆様に、心からお礼を申し上げます。こうしてお話を書き続けられるのも、本を読んでくださる皆様のおかげです。本当にありがとうございます。
それではまた、どこかでお目にかかれることを祈って。

海野幸

本作品は書き下ろしです

海野幸先生、奈良千春先生へのお便り、
本作品に関するご意見、ご感想などは
〒101-8405
東京都千代田区三崎町2-18-11
二見書房　シャレード文庫
「束の間の相棒」係まで。

CHARADE BUNKO
束《つか》の間《ま》の相棒《あいぼう》

【著者】海野幸《うみのさち》

【発行所】株式会社二見書房
東京都千代田区三崎町2-18-11
電話　03(3515)2311［営業］
　　　03(3515)2314［編集］
振替　00170-4-2639
【印刷】株式会社堀内印刷所
【製本】ナショナル製本協同組合

ISBN978-4-576-14173-2

http://charade.futami.co.jp/

CHARADE BUNKO

スタイリッシュ&スウィートな男たちの恋満載

海野 幸の本

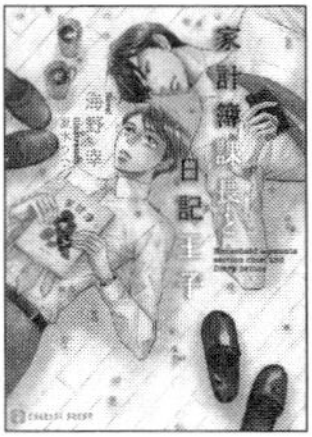

もしかして課長は……俺のことが好きとか、そういう……？

家計簿課長と日記王子

イラスト＝夏水りつ

ゲイで童貞、極度の倹約家の周平の唯一の趣味は、家計簿をつけること。周平の住む社員寮が火事で焼けてしまい、社内でも屈指のイケメン・営業部の王子こと伏見と同居することになるが──。

お前の小説読みながら、ずっとお前のことばっかり考えてた

純情ポルノ

イラスト＝二宮悦巳

二十五歳童貞、ポルノ作家の弘文は、所用で帰郷し幼馴染みの柊一に再会。ずっと片想いしていた柊一を諦めるため故郷を離れた弘文。だが引っ込み思案な弘文は、柊一から何かにつけて世話を焼かれ…。